Louis-Philippe Barbeau
5890 Durocher
Outremont.

VIVRE EN L'AN 2000

Roger Sue

VIVRE
EN L'AN 2000

Préfaces de Henri Guillaume
et de Claude Evin

Albin Michel

© Éditions Albin Michel S.A., 1985
22, rue Huyghens, 75014 Paris
ISBN 2-226-02262-7

PRÉFACES

Dans ce monde où tout va de plus en plus vite ; il nous faut sans cesse réfléchir à l'avenir pour agir efficacement sur le présent.

Paradoxalement, la réflexion sur le long terme reste en France encore trop peu développée, notamment en ce qui concerne l'impact des nouvelles technologies sur notre mode de vie et l'avenir de nos sociétés.

Le Commissariat général du Plan souhaite créer un climat favorable au développement de ce type de démarches. Ainsi, dans le cadre de la préparation du IXe Plan, a-t-il confié à Claude Evin, président de la Commission des affaires sociales et culturelles de l'Assemblée nationale, la présidence d'un groupe chargé de réfléchir à l'évolution des modes de vie des Français.

Ce groupe de travail était composé de chercheurs, de syndicalistes, d'élus, de membres d'associations familiales et du cadre de vie. Guy Roustang, maître de recherches au CNRS et Michel Gaspard, chargé de mission du Commissariat général du Plan, respectivement rapporteur général et rapporteur de ce groupe, ont d'ailleurs traduit dans un rapport paru en 1983 à la Documentation Française, sous le titre Comment vivrons-nous demain ? les conclusions principales de ces réflexions. Mais ces travaux ont touché un public encore trop restreint.

9

La démarche de ce livre est différente. Si la réflexion de l'auteur, auquel le Commissariat général du Plan a fait appel, s'inspire largement dans le constat des travaux de ce groupe, elle s'échappe ensuite dans une réflexion plus prospective, qui suscite sans doute quelques débats, et que le Commissaire au plan ne saurait naturellement reprendre entièrement à son compte.

Il était normal que l'auteur puisse prendre une certaine liberté par rapport à ces travaux, telle était la règle du jeu. La prospective doit parfois savoir laisser une place à la création, à l'imagination et peut-être même à l'utopie quand elle est constructive et suscite de vrais débats. Tel propos irritera, tel autre séduira, certaines idées apparaîtront aux uns trop faibles, aux autres trop tranchées. Tel était le prix pour éveiller la réflexion et engager le dialogue avec le lecteur.

Ce nouveau livre possède à mes yeux une qualité essentielle : il nous parle de nous-mêmes, des choses de la vie quotidienne, de la manière dont nous vivrons peut-être au XXIᵉ siècle. C'est dire qu'il s'adresse à chacun de nous. Parlant de la vie quotidienne, des emplois du futur, de ce que nous pourrions faire des progrès technologiques, des loisirs de demain, bref de notre «mode de vie», l'auteur montre bien la liberté des choix qui s'offrent à nous mais aussi les responsabilités que nous devrons prendre pour mieux vivre ensemble et pour assurer un développement économique, social et culturel équilibré.

L'accélération des changements dans des domaines fort divers nous impose de poursuivre, intensifier, soutenir des travaux qui ouvrent de nouveaux horizons et de nouveaux sujets de réflexion. Ceux de notre futur.

Telle est la voie que le Commissariat général du Plan a choisi de suivre aujourd'hui.

Henri GUILLAUME
Commissaire au Plan

Comment vivrons-nous en l'an 2000 ? En cette période de mutation profonde de notre société, où nos modes de vie se trouvent remis en cause, nous nous devons d'apporter une réponse à cette question afin d'affronter l'avenir de manière responsable.

C'est à cet effet que, dans le cadre de la préparation du IXᵉ Plan, le groupe Long Terme sur le changement de modes de vie avait été constitué. A l'époque, nous n'avions pas voulu faire de la fiction mais nous souhaitions ouvrir le débat au sein du public.

Le fait d'avoir constaté, au cours de notre étude, que la vie sociale quotidienne revêtait pour les Français une importance supérieure à celle de la vie institutionnelle et politique nous a confortés dans ce souhait. La publication de ce livre reprenant les travaux de la Commission que j'avais eu le plaisir de présider permet donc d'élargir notre auditoire et, je l'espère, de créer un débat enrichissant. Ainsi que le constatait le texte de la première loi du IXᵉ Plan : « Rien ne serait plus grave pour la France que l'indifférence des Français à l'avenir. »

Ce qu'il est convenu d'appeler « la crise » n'est pas uniquement un événement conjoncturel. C'est une mutation profonde *de notre société qui n'est pas seulement économique mais aussi, et peut-être surtout, culturelle et sociale.*

Ce ne sont pas seulement nos structures de production qui sont en cause. Ce sont aussi nos modèles de consommation, d'habitat, notre rapport à l'espace, nos formes de vie sociale, culturelle, familiale.

On aurait tort de penser que ces évolutions dépendent uniquement de facteurs économiques — certes, ces facteurs économiques existent, mais ceux-ci définissent des contraintes et non une politique. Ces évolutions possèdent une dynamique et des rythmes qui ne sont pas identiques à ceux de la vie économique.

Il nous faut donc prendre en compte toutes les dimensions de cette mutation en cours afin de nous construire un avenir moderne. Et cette modernisation doit aussi concerner nos modes de vie. Dans cette optique, trois grandes questions au moins nous interpellent dans l'immédiat :

— comment inscrire la politique économique dans une perspective globale d'amélioration du quotidien ?

— comment renforcer la notion de solidarité fortement mise à mal par l'aggravation des inégalités et le repli sur soi dans une période de crise ?

— comment, face au risque d'atomisation de la vie sociale, répondre au problème de la relation vivante entre l'individu et l'Etat ?

Aujourd'hui s'expriment ici et là de nouvelles formes de vie sociale, de nouveaux centres d'intérêt, de nouveaux lieux de rencontre et d'expression. Cette éclosion correspond à une demande sociale nouvelle de la part de la population et ne trouve pas de réponse dans le cadre des institutions habituelles.

Cette absence de réponse conduit souvent à un rejet des institutions traditionnelles, il nous faut donc rechercher de nouveaux lieux d'agrégation des intérêts collectifs et engager à tous les niveaux des processus de négociation.

C'est à cette seule condition que nous pourrons susciter, à *partir de préoccupations concernant les modes de vie, de nouveaux rapports entre les institutions et les citoyens et ainsi que le souhaitait le IXe Plan « contribuer à la vitalité de la démocratie ».*

Claude EVIN
Député de Loire-Atlantique
Président de la Commission des
Affaires culturelles, familiales et
sociales à l'Assemblée nationale

Première partie

LES CLÉS DU PASSÉ

CHAPITRE I

De la France traditionnelle à la France moderne

Vive la croissance

LA FRANCE S'ENRICHIT

Au commencement était la croissance.

Après les désastres des deux guerres mondiales, la France se reconstruit, la France se modernise, la France se développe. Développement sans précédent. Développement exceptionnel si l'on songe au présent et au futur proche. La France, comme d'autres pays industrialisés, s'habituait à cette croissance, considérant comme normal ce qui apparaît aujourd'hui assez exceptionnel.

Rappelons-nous : 5 % de croissance par an en moyenne entre 1949 et 1969. A titre de comparaison, le Japon de 1983 n'a réalisé que 3 % et on considère qu'il s'agit là d'une performance. Cela veut dire que les Français ont vu leur richesse multipliée par 3 en l'espace de vingt ans. Plus de production, plus d'investissements, plus de revenus et donc plus de consommation. « Toujours plus ! »

C'était possible puisque la production suivait. De nouveaux biens de consommation arrivaient sans cesse sur le marché, stimulant la demande qui à son tour agissait positivement sur l'offre. Spirale qui paraissait sans fin. Les principaux biens qui partagent aujourd'hui notre univers quotidien sont nés à cette époque. Les générations d'équipement se sont succédé. Au réfrigérateur s'est ajoutée la machine à laver puis le lave-vaisselle et le congélateur. A ces produits électroménagers, dits produits « blancs », se sont joints les produits « bruns » : télévision noir et blanc puis télévision en couleurs à partir des années 70, chaîne hi-fi, magnétoscope enfin.

On ne saurait oublier l'automobile, symbole controversé d'une certaine modernité. Véritable « moteur » de la croissance en France. Elle a aussi façonné les villes et les paysages, et même les mentalités. Les passions pour l'automobile témoignent d'une époque et d'une certaine forme de croissance.

L'urbanisation rapide et la construction accélérée de logements collectifs symbolisent aussi cette période de « reconstruction » qui est en même temps l'entrée dans une ère nouvelle.

Au développement du marché de la consommation il faut ajouter la part de l'État. Renforçant les services collectifs (éducation, santé), agissant sur les revenus en distribuant des allocations, l'État est intervenu de manière croissante dans le développement économique et social.

L'ÉTAT GROSSIT

La richesse produite a favorisé un développement régulier de l'État et de ses interventions. État lui-même créateur de richesses par l'intermédiaire des entreprises publiques dans des secteurs très différents : télécommunications, transports publics, réseaux routiers, etc. *État producteur* donc. *État régulateur* aussi. Il intervient de plus en plus dans les relations du travail. Par la loi en créant une importante législation du travail, en instituant par exemple le SMIG qui deviendra le SMIC. *État conciliateur* : il suscite la signature de conventions collectives entre patronat et syndicats.

État protecteur enfin par son action sociale qui va peser

18

de plus en plus lourd dans le développement. Ainsi, sur la période 1947-1971, quand les dépenses de l'État augmentent en moyenne de 3,8 % par an, celles de la Sécurité sociale progressent de 7,8 %. Les dépenses de santé croissent particulièrement vite. Entre 1946 et 1975 elles sont multipliées par 6. Durant la même période les médecins passent de 29 000 à 81 000, les dentistes de 9 000 à 26 000, les pharmaciens de 12 000 à 32 000. Autre dépense importante de l'État : l'éducation et la formation. L'effort y est encore plus significatif. Les dépenses pour l'Éducation nationale sont multipliées par 10 entre 1947 et 1971. Ainsi de plus en plus nombreux sont les jeunes Français qui accèdent à l'enseignement supérieur (144 000 en 1947, 650 000 en 1968, plus d'un million en 1975). Cette hausse générale des niveaux de formation et de qualification devient l'un des ressorts essentiels de la croissance économique.

Les interventions de l'État ont incontestablement alimenté la croissance. Mais inversement c'est aussi grâce à la croissance que l'État peut dépenser et stimuler l'activité. Un « état » de relatif équilibre est trouvé. En témoignent le nombre et l'intensité limités des crises durant cette période. Bien entendu cet équilibre national s'appuie sur une situation internationale favorable. Condition essentielle de la croissance au fur et à mesure que les économies s'ouvrent les unes sur les autres. C'est aussi, revers de la médaille, durant cette période euphorique que vont se créer des automatismes et des rigidités qui coûteront cher avec l'arrivée de la crise.

De quoi s'agit-il ? Prenons deux exemples. La progression foudroyante des dépenses de santé ne pouvait s'éterniser. La croissance a permis de la supporter, la crise l'a rendue insupportable. Situation d'autant plus douloureuse que la crise a provoqué une demande supplémentaire dans ce secteur tout en réduisant les ressources disponibles.

Autre exemple, le pouvoir d'achat. Sa progression d'une année sur l'autre était devenue un automatisme, mieux, une garantie. L'absence de souplesse dans ces mécanismes a peut-être retardé la crise pour chacun de nous, mais les effets en ont été plus durs.

France rurale, France urbaine

La croissance constitue la toile de fond des années passées. Elle doit être mise en relation avec les évolutions sociales majeures qui ont marqué les années 50-60. Durant ces années la France bascule. Celle d'hier fait place à celle d'aujourd'hui. La France traditionnelle devient la France moderne. De rurale elle devient urbaine. C'est une des plus grandes révolutions qu'elle ait jamais connues. Révolution silencieuse qui n'est d'ailleurs pas encore achevée.

La vie n'est plus la même, les espaces changent, le temps n'obéit plus aux mêmes rythmes, la vie professionnelle se transforme, les catégories sociales sont bouleversées, la famille tente de résister...

On peut parler d'une nouvelle « civilisation urbaine » car le passage de la campagne à la ville nous a littéralement fait changer de monde.

A la Libération, la population urbaine dépasse de peu la population rurale (53 % contre 47 %). Trente ans plus tard, l'espace d'une génération, le paysage s'est totalement transformé. La grande majorité des Français (68 %) habite désormais dans les villes. Ce mouvement était inscrit depuis longtemps dans l'Histoire. Mais ce grand changement s'opérait progressivement, sans trop de heurts. A partir de 1945, le mouvement s'accélère fortement. C'est l'accélération qui est le fait marquant et qui provoque une véritable mutation. Deux raisons majeures à cette accélération : le « baby-boom », le « décollage » économique.

Les 41 millions de Français de 1946 deviennent 53 millions en 1975. Cette progression démographique se conjugue avec la mutation des structures économiques, schématiquement caractérisée par la régression du secteur agricole

20

au profit des entreprises industrielles et surtout du secteur des services. Régression de la population agricole seulement, car la production ne cesse d'augmenter avec moins d'agriculteurs grâce aux progrès de la productivité. D'une certaine manière le monde agricole s'industrialise aussi. Le secteur industriel prend du poids et tend à se concentrer dans de plus grandes unités. Ce qui stimule l'essor du secteur tertiaire : développement du réseau bancaire, des assurances, des bureaux d'études, de l'administration, etc.

Ces changements économiques de fond ont évidemment de profondes incidences sur les hommes, sur leur rôle social et professionnel. Le monde ouvrier se spécialise et se hiérarchise sous le coup de la division du travail et des techniques modernes. OS (ouvrier spécialisé), OP (ouvrier professionnel), contremaîtres, techniciens, autant de catégories sociales qui s'affirment avec la mutation économique. Mais l'évolution la plus spectaculaire provient des emplois créés dans les services. Les cadres, création bien française, sont de plus en plus nombreux et forment avec les techniciens et employés les couches moyennes qui vont occuper une place centrale dans le développement économique et social.

Ces évolutions démographiques, économiques et humaines se traduisent naturellement dans l'espace. La campagne se dépeuple et se désertifie dans certaines régions. Sa physionomie change, moins de fermes et plus de grands espaces nécessaires à une agriculture extensive. Dans le même temps (1946-1975) les villes doivent absorber 17 millions d'habitants supplémentaires. Tant bien que mal. On construit à la hâte autour des grands centres urbains. « Tours » et « barres » apparaissent à la périphérie des villes. Les banlieues s'étendent de plus en plus loin, rejetant des centres les plus déshérités. Ce découpage de l'espace en zones bien distinctes est lié aux hiérarchies sociales anciennes et nouvelles. L'explosion urbaine est difficilement maîtrisée. L'unité d'une ville est lente à créer et il faut parer au plus pressé.

21

LA «MONTÉE» À LA VILLE

Vivre en ville est une aventure pour beaucoup. C'est la découverte d'un pays inconnu, notamment pour les « migrants ruraux» de la première génération. L'attraction de la ville est forte ; elle représente le progrès et la modernité et nombreux sont ceux qui y voient une sorte de promotion sociale. Mais les désillusions sont fréquentes. Au changement radical d'habitudes s'ajoutent parfois l'inconfort, la précarité ou l'exiguïté du logement. La ville bouleverse les rythmes sociaux et impose une nouvelle manière de vivre. Aux rythmes naturels de la campagne se substituent ses rythmes plus artificiels. Le temps devient un problème, parfois une angoisse, quelquefois une obsession. Au lieu d'être vécu dans sa continuité, il est découpé en tranches : le fameux «métro, boulot, dodo». Le découpage du temps correspond à une séparation des différents espaces de vie. L'espace-logement, l'espace-travail, l'espace-loisir, l'espace-commercial... *La division et même l'éclatement succèdent à l'unité de temps et de lieu qui avait été la règle.*

Avec la ville, l'isolement se fait parfois durement sentir. C'est l'époque de la «foule solitaire [1]». Il a fallu rompre des liens avec sa famille, avec ses origines. Perdre ses racines, dirait-on aujourd'hui. En revanche la ville ne favorise guère la socialisation et les relations sont parfois difficiles à nouer. Rien n'y prédispose vraiment : l'anonymat, l'habitat vertical, la séparation des espaces ou même les conditions de travail.

Au-delà de ces changements, parfois mal vécus, la ville offre de multiples avantages. L'abondance de biens de consommation ou d'équipement, des salaires souvent plus élevés, l'espoir d'une carrière, d'une vie nouvelle, autant de motivations fortes. S'y ajoute le sentiment de participer à l'aventure des temps modernes, d'être du côté de l'avenir, d'être «considéré» (souvent avec envie et respect) par

---

1. Titre du best-seller de David Riesman, Arthaud, 1964.

ceux qui sont restés dans les campagnes. On « monte » à la ville, dit-on couramment à l'époque, comme pour témoigner d'une élévation dans la hiérarchie sociale. Le fossé entre deux France se creuse. D'un côté, une France qui se dépeuple, qui vieillit, qui reste attachée aux valeurs anciennes ; de l'autre, une France plus jeune, qui s'entasse dans les villes, et qui invente de nouveaux modes de vie. Cette fracture, aujourd'hui moins évidente, a symbolisé le passage d'une France traditionnelle à une France moderne.

L'UN POSSÈDE, L'AUTRE PAS

Grâce à la croissance des années 50-60, le niveau de vie s'élève rapidement. Le progrès et les espoirs qu'il fait naître alimentent la dynamique sociale. Progrès d'autant plus spectaculaire et d'autant mieux accueilli qu'il succède à une longue période de difficultés dominée par le manque, par la rareté, pour satisfaire les besoins les plus essentiels comme l'alimentation ou l'habillement.

La France est avide. Le marché est largement ouvert, les nouveaux produits s'y bousculent. On est bien loin d'une quelconque saturation qui sera évoquée plus tard. *C'est l'âge d'or de la consommation.* Loin d'être critiquée, la société dite de consommation est soutenue par la vivacité de la demande. Plus égale mieux, un point c'est tout. C'est en partie par la consommation que l'on affirme sa personnalité, son identité sociale. Dis-moi ce que tu consommes... C'est l'époque où l'on affiche ostensiblement ses nouvelles acquisitions. La nouvelle voiture, le poste de télévision dernier cri, voire la résidence secondaire. L'effet « standing » est à la mode. Les dépenses d'équipement et de loisir progressent rapidement, surtout si on les compare à l'alimentation ou l'habillement dont la part régresse dans le budget familial.

A qui profite cette richesse nouvelle ?

Elle se répartit de manière fort inégale si on en juge avec les yeux d'aujourd'hui. La société de consommation est d'abord une vitrine. Elle attise les désirs mais aussi les frustrations. Malgré les transferts sociaux (allocations en particulier), la répartition du revenu reste très inégalitaire. Dans ces conditions, la diffusion des nouveaux produits de consommation se fait lentement, de manière hiérarchisée. Elle suit la grande pyramide constituée par les différentes catégories sociales, chacun s'efforçant d'accéder au niveau de consommation de la plus nantie. *Cet effet d'imitation* se propage de proche en proche du haut en bas de la pyramide. Bien entendu chaque catégorie se sentant rattrapée change de standards de consommation pour maintenir son écart avec les autres. Pour certains cette course poursuite au « standing » par le jeu de la consommation favorise le développement en stimulant la concurrence.

Cependant, la réalité de l'époque montre qu'à côté des « nantis » de la consommation subsistent de véritables exclus et qu'il y a là une source permanente de tensions. Les exclus sont souvent ruraux. Au milieu des années 60, la plupart des agriculteurs français se sont équipés de matériel moderne, mais n'ont pas encore de salle de bains, peu d'automobile, de télévision ou de téléphone, et ne sont jamais partis en vacances. Pas toujours par manque de moyens, la résistance au changement de mode de vie n'étant pas négligeable chez les personnes âgées en particulier. Les jeunes ruraux, fraîchement arrivés en ville, avec peu de qualifications, mal payés, ressentent sans doute plus durement l'exclusion de la consommation de masse à laquelle ils tardent à parvenir.

A l'opposé, les catégories montantes composées d'ingénieurs, de professions libérales, de cadres sont les principaux bénéficiaires de cette course à la consommation. Le cadre devient symbole. Jeune, dynamique et bronzé de préférence, il sert, à grands renforts de publicité, de véritable modèle social. Il impose peu à peu une image, un style de vie qui font référence pour la plupart des autres catégories sociales. Il fait figure d'image de marque dans la France de ces années-là.

LA FAMILLE SE RÉTRÉCIT

Dans ce monde en pleine évolution, la famille, elle aussi, se transforme. La transformation des structures familiales atteste toujours de l'importance des mutations dans une société puisqu'elle en constitue le noyau dur, la cellule de base.

La famille traditionnelle, dite famille « élargie », au sein de laquelle cohabitent trois ou quatre générations se réduit à sa plus simple expression : parents et enfants. C'est la famille « nucléaire ». Le passage de la campagne à la ville, de la maison à l'appartement souvent exigu, l'individualisation du travail et des modes de vie expliquent pour partie cette transformation fondamentale. Évolution qui n'affecte pas seulement le foyer familial mais l'ensemble des relations de famille au sens large. A la campagne on entretient des relations fréquentes avec la proche famille, oncles et tantes, cousins et cousines... Sans vivre sous le même toit, ils sont souvent à proximité. Il existe un véritable « milieu » familial, voire même une communauté. La ville impose un nouveau modèle de vie familiale et une véritable coupure avec le milieu d'origine. Au-delà du rétrécissement de la famille, c'est la rupture dans le mode de socialisation traditionnel qu'il faut bien voir.

Moins de générations différentes au sein d'une même famille, moins d'enfants aussi. La tradition des grandes familles, populaires ou bourgeoises, se perd. La famille avec deux enfants tend à devenir la norme. C'est la famille « standard ». Comme si elle répondait autant à un modèle qu'à une nécessité. Ce conformisme est bien sûr à rapprocher des normes qui s'imposent peu à peu pour le logement, pour la consommation, pour les vacances.

Du rétrécissement de la famille naît aussi le clivage qui va s'accentuer entre les générations. Ce que l'on appellera bientôt « le conflit des générations ». Exclues de la famille moderne, les personnes âgées doivent affronter l'isolement. Solitude individuelle dans leur appartement ou solitude collective dans des institutions spécialisées comme les maisons

de retraite. La retraite s'apparente souvent à une sorte d'inutilité sociale dans une société qui fait de la production et
de la consommation son véritable credo.

Les jeunes sont à priori mieux intégrés. Cette société nouvelle est la leur. Ils sont de plain-pied avec la société de
consommation. Ayant conscience d'incarner un monde nouveau, en rupture avec celui de leurs parents, ils cherchent
à s'émanciper et à affirmer des valeurs qui leur soient propres. Ces chocs entre générations ébranlent bien des familles, qui ont du mal à faire face aux évolutions rapides qui
les touchent.

Au milieu de ces turbulences la famille fait pourtant mieux
que résister. Comme si elle puisait une force nouvelle dans
ces affaiblissements apparents. Plus elle se rétrécit, plus elle
devient importante. Point de ralliement, îlot de stabilité dans
un monde soumis aux accélérations du modernisme, la solitude engendrée par la ville la rend plus précieuse encore.
D'ailleurs le mariage reste une institution forte et respec-
tée, clé de voûte de l'univers familial. Même si l'on
commence à observer, çà et là, un début de « cohabitation
juvénile », d'unions libres ou de mariages « à l'essai ». Incontestablement la famille symbolise un lien indispensable avec
le passé, une certaine permanence, qui ne saurait, à l'époque, être remise en cause. Elle est considérée comme une
valeur sûre, pilier indispensable à toute vie sociale.

L'ÉTAT OMNIPRÉSENT

Nous avons souligné l'intervention croissante de l'État
dans les affaires économiques et sociales. Son action s'étend
à de nombreux aspects de la vie quotidienne des Français.
L'État devient de plus en plus présent aux côtés du citoyen,
à tous les âges de la vie. De la naissance à la retraite. Sous
son impulsion, les collectivités locales (départements, municipalités) investissent dans les équipements publics et
sociaux. L'initiative publique se développe rapidement,
se substituant parfois aux initiatives privées ou à d'autres

formes d'organisation collective (ou les concurrençant).

Cette présence se renforce encore avec l'avènement de nouvelles techniques de communication, et principalement la télévision. L'institution pénètre au cœur des foyers. On y verra à l'époque un signe annonciateur de la toute-puissance de l'État. Tant le pouvoir de la télévision paraît illimité. En réalité, comme cela avait été le cas pour la radio, on reviendra sur cette idée un peu simpliste de la manipulation totale de l'opinion par la télévision. Néanmoins le rapport État/citoyen-téléspectateur change. Les pouvoirs publics peuvent désormais intervenir directement dans chaque foyer par-dessus les relais d'opinion traditionnels. Le spectacle des affaires publiques s'offre à chacun. On a même pu prédire l'avènement d'une nouvelle forme de démocratie.

Sans parler de conditionnement de l'opinion, la télévision influe fortement sur une certaine homogénéisation des styles de vie, sur la diffusion des modèles dominants. Elle participe à la standardisation déjà évoquée à propos de la consommation ou de la famille. Sans déterminer l'opinion, elle contribue à « faire » l'actualité, à fixer les limites d'un débat, à sélectionner les sujets dont on parle le lendemain. Issue du progrès technique et du monde moderne, elle en est aussi le meilleur moyen de diffusion.

Ainsi l'État devient-il de plus en plus souvent un interlocuteur direct auquel on s'habitue, auquel on s'en remet. Plus il en fait, plus on en attend. Cette logique ne va cesser de se développer. L'éclatement des communautés traditionnelles, qui apportaient services et aides mutuelles à leurs membres, favorise le recours systématique aux institutions. La demande de *sécurité* traduit assez bien ce que l'on attend de l'État. Sécurité publique, sécurité des personnes d'abord. Mais aussi et surtout sécurité du revenu, sécurité contre la maladie, sécurité pour la retraite, bref sécurité contre les aléas de l'existence. La demande de sécurité tourne à « l'assurance tous risques ». L'État, grâce aux revenus tirés de la croissance, apparaît comme le grand bienfaiteur qui n'en fait jamais assez.

La médaille a son revers, chaque catégorie sociale estimant que l'État en fait parfois trop pour les autres. Ainsi se développe un corporatisme de type nouveau. Moins porté sur l'organisation interne de ses adhérents qui était sa fonction traditionnelle, que sur une fonction de revendication à l'égard des pouvoirs publics.

En multipliant ses interventions, l'État multiplie aussi les procédures. La lenteur administrative, la bureaucratie envahissante deviennent des thèmes à la mode. On s'insurge contre la grande machine anonyme et dans le même temps on en attend toujours plus. « Big Brother » n'est pas très loin. Mais dans l'ensemble les institutions, surtout dans le secteur social, ne sont pas remises en cause. On attend essentiellement qu'elles « donnent » plus. Cela semble être le devoir de l'État, sa raison même d'exister, indépendamment des événements extérieurs ou de l'évolution de la conjoncture. Le réflexe du recours à l'État, favorisé par l'omniprésence de l'État lui-même, est devenu une habitude, une habitude de vie. Celle sur laquelle on revient difficilement.

CHAPITRE II

De la crise culturelle à la crise économique

Je conteste, tu contestes...

Les années 50-60 ont été marquées par la croissance et la modernisation de la France. Les évolutions rapides ont imposé une transformation radicale des modes de vie. Vers la fin des années 60, on assiste à une certaine contestation des effets du « progrès » et à une attitude plus critique face aux valeurs dominantes (travail, consommation, autorité, hiérarchie, institutions, etc.) qui l'ont accompagné.

Contestation culturelle car son origine provient d'abord des milieux intellectuels, en particulier de l'Université. Contestation qui s'appuie sur un arsenal idéologique impressionnant, des théories libertaires ou anarchisantes aux théories révolutionnaires de type maoïste ou trotskiste. Le débat d'idées est très vif. Il sera parfois violent à l'occasion des événements de 68.

Mais si l'origine de la contestation provient d'un milieu très limité, ses effets finiront par toucher la société entière. Preuve que le terrain était favorable. Un grand mouvement social est déclenché, il provoque un nouveau changement au sein de la société française et une rupture avec les années passées. On a pu dire après 68 que rien ne serait plus comme avant.

La contestation, radicale à son origine, prend naturellement comme cible la « société de consommation ». De très nombreux écrits paraissent pour dénoncer son emprise sur les individus, sur les consciences. Critique d'une société considérée comme trop exclusivement axée sur le productivisme. Pour dénoncer aussi l'uniformité, la standardisation ou la « massification » qu'il provoque. Le conditionnement par les médias et par la publicité (symbole de la consommation de masse) est particulièrement condamné. On y perçoit un viol de la liberté individuelle, son aliénation. La critique est d'autant plus violente que l'on avait laissé espérer que le « bonheur » viendrait naturellement de la croissance économique et d'une consommation supérieure. Le rêve des années 50-60 se heurte à la réalité de la course sans fin que n'épuise aucune consommation nouvelle.

Cette période de contestation n'est pas propre à la France ni même à l'Europe. Les États-Unis, sous des formes différentes, vivent la même crise. Après *La Foule solitaire*, le sociologue américain David Riesman publie *L'Abondance pour quoi faire?* où il écrit notamment : « La consommation tourne maintenant à l'indigestion. » Ce qui reflète assez bien l'état d'esprit de certains milieux.

Critique de nantis, luxe de riches ? Il n'empêche qu'il s'agit là d'une composante importante de l'opinion de cette période.

Parallèlement à ce mouvement d'idées, des organismes plus ou moins officiels, composés de personnalités de renom, mettent l'accent sur les dangers de la croissance. Les thèses défendues par le « Club de Rome », par exemple, reçoivent un large écho. Ses avocats insistent sur les déséquilibres qu'ils perçoivent entre la croissance et le caractère limité des ressources naturelles ; sur les déséquilibres démographiques ; sur la nécessité de protéger l'environnement ; de comptabiliser les effets négatifs de la croissance et de revenir, pour un temps, à une « croissance zéro » Le thème de la protection de l'environnement, tout particulièrement, trouve une très large audience. Il sera fortement relayé par les différents mouvements écologiques (« les verts ») qui commencent à occuper une place importante dans l'actualité de l'époque.

Si le thème de l'environnement passe aussi bien dans l'opinion, c'est aussi qu'il se conjugue avec la critique du mode de vie urbain. Par opposition, on assiste à une valorisation de tout ce qui touche à la nature, au naturel, au retour aux sources, au corps, etc. On a soif d'évasion et de valeurs nouvelles. A la mutation économique des années 50-60 succède la mutation culturelle. Ce qui provoque naturellement une remise en question des valeurs et modes de vie traditionnels : la consommation, l'habitat, le travail, la famille. On est confusément à la recherche d'une nouvelle société, de projets nouveaux, de raisons de vivre et d'espérer. Rappelons-nous juste avant Mai 68 le fameux article du *Monde*[1] qui commençait comme ceci : « La France s'ennuie... » En pleine période de prospérité, on est à la recherche d'un supplément d'âme, de remèdes contre la « sinistrose ».

La croissance va bientôt connaître ses premiers ratés et le déclenchement effectif de la crise économique, à partir de 1973, va peu à peu monopoliser le débat public.

JE CONTESTE, TU CONTESTES... NOUS CONSOMMONS

La société de consommation est l'une des cibles majeures de la contestation culturelle. Avec quels effets ?

Apparemment ils sont faibles. « Plus » semble toujours synonyme de « mieux ». Le dynamisme de la demande et donc de la consommation est toujours aussi vif. Ce dynamisme est bien sûr entretenu par la progression continue des revenus. Mais cette progression est nettement plus rapide pour ceux qui ont les revenus les plus faibles. C'est-à-dire ceux qui ont le plus de besoins et qui cherchent à

---

1. Article de M. Merleau-Ponty, 15 mars 1968.

acquérir les biens déjà en possession des catégories sociales plus privilégiées. Ce sont eux qui stimulent le plus la consommation.

La consommation populaire, par le jeu de la progression des bas salaires et des transferts sociaux, est le pilier de la croissance durant cette période. La consommation globale progresse donc, elle change aussi au fil des années. Dans le budget familial, l'alimentation et l'habillement pèsent moins lourd ; l'équipement du logement commence à stagner ; par contre les dépenses pour les loisirs et la culture, ou pour la santé, sont plus importantes chaque année. Ce déplacement de la consommation annonce les nouvelles préoccupations des Français, les changements dans leur mode de vie.

Ces changements sont surtout visibles dans les catégories moyennes et supérieures de la population. Ce sont également les plus sensibles à la contestation du modèle de consommation uniforme et standard. En conséquence, nombreux sont ceux qui cherchent à se distinguer autrement. Moins par le volume de consommation que par la manière de consommer. A défaut de consommer beaucoup plus que les autres, ils cherchent à être plus sélectifs, à cultiver le « bon goût » et la mode. A la quantité on préfère la qualité. Les produits dits naturels, par exemple, deviennent à la mode.

Tout ceci est assez bien illustré par le thème de la *qualité de la vie* dont on parle beaucoup. On en fera même un ministère. Il ne s'agit pas seulement de lutter contre les pollutions mais aussi de consommer mieux, d'être mieux. Le maître mot n'est plus « Avoir plus » mais « Être plus ». Mieux gérer son temps et sa santé, prendre le temps de vivre et de profiter de ce que l'on possède plutôt que de rechercher des satisfactions éphémères dans des consommations multiples. On le voit, il s'agit là d'une remise en cause assez radicale des valeurs « productivistes » qui avaient dominé jusqu'alors.

Il serait trop simpliste d'opposer ces nouvelles valeurs, cette manière d'être, à la consommation. En définitive ces nouvelles valeurs alimentent de nouveaux marchés. Le marché du « corps » (soins, activités sportives, etc.), le marché des vacances et des loisirs, de nouvelles modes vestimentaires aussi. Ces marchés sont tout de même moins porteurs pour la croissance que les biens d'équipement dont la progression n'est plus aussi rapide.

L'action des associations de consommateurs a également son importance. Le consommateur est encouragé à mieux choisir, à mieux sélectionner ses achats, à mieux mesurer ses propres besoins. Bref, il devient plus difficile de « vendre n'importe quoi à n'importe qui, à n'importe quel moment ».

Cette évolution va s'accélérer avec le ralentissement de la croissance et des revenus, pour les catégories les plus aisées tout au moins. A défaut de consommer plus, on cherchera des compensations dans un nouveau mode de consommation (c'est-à-dire un nouveau mode de vie) ou dans des consommations plus « immatérielles » : du temps, des vacances, des loisirs par exemple.

LES « TEMPS » CHANGENT...

La réduction du temps de travail dans l'existence est un aspect capital du changement social. Certains y voient même une sorte de « révolution silencieuse ». Il est vrai que toute société peut se définir par la manière dont sont organisés les différents temps qui rythment la vie : temps de formation, temps de travail, temps libre, temps de la retraite.

Quoi de commun entre le Français de 1848 qui dès l'âge de 12 ans travaillait quinze heures par jour jusqu'à sa mort et le Français de nos jours qui n'y consacre environ que 20 % de son temps ?

Au cours de cette longue histoire, 1936 marque une étape décisive. La durée du travail hebdomadaire est réduite à 40 heures et les salariés peuvent bénéficier de 12 jours de congés payés. Après la guerre, la période de reconstruction et les années de forte croissance vont de nouveau allonger la durée du travail jusqu'à 46 heures par semaine vers 1965. Puis elle va décroître pour atteindre un peu moins de 40 heures en 1983.

Dans le même temps, les vacances vont passer de 3 à 4 semaines, puis la cinquième semaine de congé sera généralisée en 1981. Il faut aussi tenir compte de l'allongement de la scolarité et de l'avancement de l'âge de la retraite à 60 ans ou même 50 ans pour les préretraités. La vie active se rétrécit par les deux bouts. Plus encore si l'on fait le compte des congés maladie, de l'absentéisme, de la formation permanente, des « ponts », et surtout du temps de chômage qui ne va cesser d'augmenter. En 1983 la durée moyenne du chômage atteint 310 jours, presque une année.

Ainsi, le volume global de travail ne cesse de se rétrécir. Avec de fortes inégalités au sein de la société. Aux deux extrêmes on trouve le chômeur (le taux de chômage est proche de 30 % pour les femmes de moins de 25 ans) et à l'opposé le cadre surmené dont le temps de travail peut dépasser les 50 heures. Inégalités par secteur économique aussi puisque l'on travaille beaucoup plus en moyenne dans le bâtiment et les travaux publics (BTP) que dans les bureaux.

Les raisons de la réduction du temps de travail sont multiples : la crise économique, l'introduction des technologies nouvelles, les lois sociales, etc.

En conséquence le travail professionnel et organisé (au sens strict du terme) n'est plus l'unique centre de gravité de la société. Le temps de travail qui était le temps principal est devenu un temps secondaire, tout au moins par le nombre d'heures qu'il occupe dans notre existence. Car la *valeur* accordée au travail peut rester très importante et relativement indépendante du nombre d'heures que l'on passe à son travail. Et cette valeur a même tendance à augmenter lorsque le travail devient de plus en plus rare...

34

... LE TRAVAIL AUSSI

Les formes, les méthodes et l'organisation du travail conditionnent également l'importance et la perception que l'on en a. Les méthodes de rationalisation inspirées des États-Unis (Ford, Taylor) sont de plus en plus courantes et accélèrent la division du travail en tâches simples et répétitives. C'est souvent un travail « en miettes », impersonnel et monotone, qui réduit le salarié à l'état d'automate. Dans l'industrie, et plus particulièrement dans les grandes unités de production, ces méthodes sont appliquées avec le plus de rigueur. Mais le secteur tertiaire (bureaux, administrations, etc.) est également touché. On a pu parler des « OS du tertiaire » pour les pools de dactylos par exemple. Le salarié est un simple exécutant qui a un faible pouvoir sur le contenu ou sur l'organisation de son travail.

Avec l'industrialisation de certaines productions artisanales, et la raréfaction des travailleurs indépendants, les métiers traditionnels dans lesquels le travailleur était maître de sa production font place à des opérations standardisées, exécutées mécaniquement.

A ce travail d'exécution s'oppose le travail de conception. L'industrialisation suscite aussi la création de métiers réclamant qualifications, initiatives et parfois imagination. Ainsi l'introduction de nouvelles technologies provoque-t-elle fréquemment un double mouvement : forte qualification d'un côté, faible de l'autre, quand il ne s'agit pas de déqualification. On le voit plus encore aujourd'hui.

Dans les entreprises : un Mai 68 à retardement

Vers la fin des années 60, les revendications à l'égard du travail prennent un ton nouveau. Elles portent moins exclusivement sur l'augmentation des salaires ou sur les garanties sociales; les conditions de travail, sa durée, la formation deviennent l'objet de négociations dures. Les revendications plus qualitatives sont particulièrement soutenues par un

35

syndicat comme la CFDT. C'est la conception même du travail et de son organisation qui semble remise en cause. Le grand souffle de Mai 68, parti d'une contestation culturelle gagne les entreprises et s'attaque à ses valeurs de base : autorité, hiérarchie, division du travail...

L'entreprise n'est plus un monde clos, elle ressent fortement la secousse des changements sociaux de cette période. La décélération de la croissance va exacerber les conflits.

Mais surtout on perçoit un décalage croissant entre les « attentes » face au travail et les possibilités de les satisfaire. Le niveau de formation progresse rapidement. Pas seulement la formation technique ou professionnelle mais aussi l'éducation et la formation générale. Développement de l'enseignement, allongement de la scolarité en sont une cause majeure. Mais il ne faut pas oublier l'extension des moyens d'information (radio, télévision) qui concourent aussi à la formation générale. La progression des loisirs et les possibilités d'expression individuelle plus diversifiées augmentent aussi les exigences de chacun.

En conséquence un travail déqualifié, sans responsabilités, est de moins en moins bien accepté. Ce qui favorise des attitudes négatives ou de retrait vis-à-vis du travail. Ces évolutions sont particulièrement visibles chez les jeunes. On parlera même d'« allergie au travail » des jeunes. Mieux formés que leurs aînés, ils trouvent de plus en plus difficilement les débouchés qu'ils avaient espérés. La montée du chômage va encore aggraver la situation puisqu'ils sont les premiers touchés.

Ainsi, pour beaucoup, le travail représente de moins en moins une possibilité de réalisation personnelle ou de satisfaction suffisante. Mais il faut rester prudent car bien des enquêtes démontrent l'attachement fort à son travail. Pas toujours pour le travail lui-même mais aussi pour des raisons très diverses : satisfaction du devoir accompli, sentiment d'appartenir à une communauté, poids des habitudes, impossibilité d'imaginer une autre vie... La crise en rendant le travail plus rare a également modifié la perception de sa valeur. Avoir un travail est déjà une valeur en soi. Question qui ne se posait pas quinze ans auparavant.

Cependant il reste évident qu'avec l'augmentation du temps libre on a cherché de nouvelles formes d'expression, de nouvelles valeurs. La vie familiale et la vie personnelle ont pris plus d'importance. Les temps des vacances et des week-ends sont devenus des temps forts, particulièrement pour les citadins. Les contacts avec la nature et les activités en plein air qui lui sont liées ont pris un essor rapide.

Bref le temps hors travail s'est peu à peu organisé. Avec de très fortes variations d'une personne à l'autre, d'une famille à l'autre. L'aptitude à organiser son temps reste très inégale. De même l'utilisation de ce temps est très variable. Cette variété et la diversification des modes de vie qu'elle entraîne sont parmi les aspects majeurs du changement social d'aujourd'hui. L'individu ne se définit plus seulement par son travail, mais tout autant par ce qu'il fait hors de son travail.

DU TEMPS LIBRE, POUR QUOI FAIRE?

La prépondérance de la famille

L'industrialisation et les progrès de la productivité ont permis de produire plus avec moins de temps de travail. Le temps hors travail est ainsi devenu plus important que le temps consacré au travail au cours de la vie. Mais il ne faut pas confondre temps hors travail et temps libre au sens d'un temps choisi. Les femmes au foyer ou les chômeurs en savent quelque chose.

Quand il y a temps libre, c'est à la famille qu'on le consacre prioritairement. Et différentes enquêtes indiquent d'ailleurs qu'en cas de réduction du temps de travail c'est à la famille qu'irait ce temps disponible supplémentaire.

Mais ce temps familial recouvre des activités très diverses. La télévision par exemple occupe une bonne part de ce temps (plus de 16 heures en moyenne dans la semaine).

Le temps passé à l'éducation ou aux soins apportés aux enfants est bien moindre. Par contre, le travail domestique pris dans son ensemble (travaux ménagers, courses, bricolage, etc.) prend beaucoup de temps. Avec bien sûr de fortes différences entre les sexes, l'homme actif y passant 7 heures par semaine contre 24 heures pour la femme qui travaille et 33 heures pour la femme «inactive»! Importance du temps consacré aux activités domestiques, importance économique aussi qui est souvent négligée. On a calculé que le travail domestique réalisé par les familles françaises représentait entre *le tiers et les trois quarts* de la production nationale (PIB). C'est pourquoi on peut parler d'une véritable *économie domestique*. Économie qui était très importante en milieu rural notamment sous la forme d'autoproduction alimentaire. On mangeait ce que l'on cultivait soi-même. Le développement de l'économie marchande et du travail féminin à l'extérieur du foyer a réduit l'importance de cette autoproduction dans un premier temps. Mais, à l'opposé, la croissance du temps libre a favorisé l'«activité productive» familiale. On constate par exemple une forte poussée du bricolage entre 1968 et 1980. Très lié au développement des résidences secondaires, mi-loisir, mi-travail, le bricolage apporte aussi des compensations non négligeables au travail «en miettes». Pour des raisons à peu près identiques, le jardinage fait de plus en plus d'adeptes. Dans de nombreuses régions on a créé des jardins familiaux à l'image des jardins ouvriers d'autrefois. Les commerces spécialisés dans l'outillage pour amateurs ont vu leurs ventes progresser fortement; on a même ouvert des grandes surfaces spécialisées dans ce type d'articles. Ce qui témoigne d'un engouement qui a touché la plupart des catégories sociales.

Parallèlement de nombreux objets sont vendus en «kit». Notamment dans le secteur de l'ameublement, de l'aménagement de la maison ou des loisirs sportifs (bateaux, «kartings», modèles réduits). *Cette manière de consommer qui est aussi une manière de produire* a même reçu un nom de baptême : le « Do it yourself ». Réaliser des économies n'est sûrement pas la seule motivation de ceux qui achètent des produits semi-finis. On peut y voir aussi la volonté de marquer son environnement de son empreinte personnelle, de s'échapper d'un univers banalisé et standardisé.

Si l'arrivée de la crise a ralenti la consommation de manière générale, elle a par contre encouragé ce qui pouvait être source d'économies. Plutôt que d'acheter du neuf, on essaie de réparer l'ancien. On vit plus sur ses propres ressources. La montée du chômage a aussi vraisemblablement favorisé la progression du travail au noir. Il est par nature impossible à évaluer correctement ; d'ailleurs la frontière entre l'échange de services et le travail noir proprement dit est souvent difficile à tracer.

Ainsi peut-on dire que le travail sous sa forme *domestique, familiale, informelle, de troc* ou même *lucrative,* est une composante majeure du temps « hors travail ». La signification de ces différentes formes de travail n'est apparemment pas la même.

D'un côté le travail libre, de l'autre le travail contraint. Dans la réalité les frontières sont assez mouvantes, le degré de liberté (ou de contrainte) étant souvent affaire d'appréciation personnelle.

La culture ne fait pas recette

Et la culture ? Quelle est sa place dans le temps hors travail ? On avait pensé que la croissance du temps libre profiterait avant tout au développement culturel. Cette opinion, défendue précisément par ceux qui consacrent le plus de temps à la culture, semble démentie par les faits. Si l'on met à part la télévision, dont on peut discuter (à l'infini !) le contenu culturel, les autres pratiques culturelles ont faiblement progressé et restent assez minoritaires. Que l'on prenne le théâtre ou les concerts de grande musique, moins de 10 % des Français y sont allés au moins une fois en 1981. Le théâtre accuse même une régression puisqu'en 1973

12 % des Français déclaraient y avoir été contre 10 % en 1981. Même le cinéma (de Jean-Paul Belmondo à Marguerite Duras), considéré pourtant comme un art populaire, n'a même pas attiré la moitié des Français en 1981. Dure concurrence de la télévision ? Peut-être. On peut aussi soutenir l'inverse, la télévision suscitant parfois au contraire des besoins nouveaux chez les téléspectateurs.

Minoritaires donc, ces pratiques culturelles sont également très typées socialement. On y trouve avant tout une forte proportion de cadres supérieurs, moyens ou de professions libérales.

Les Français deviendraient-ils sportifs ?

On avait aussi pensé (espéré ?) que la croissance du temps libre favoriserait la participation sociale et la vie collective. La réalité ne confirme pas ces « espoirs ». L'adhésion à un parti politique par exemple n'intéresse que 1,5 % des Français de 1981. De même l'ensemble des organisations collectives (associations, syndicats, clubs sportifs...) n'attire apparemment que 32 % des Français. Chiffres faibles si on les compare avec ceux d'autres pays européens comme la Scandinavie.

Seules les associations à caractère sportif tirent leur épingle du jeu. Leur évolution entre 1973 et 1981 est assez remarquable : de 10 à 15 % de la population. Elles ont profité de la grande vogue en faveur des loisirs sportifs. Phénomène qui dépasse largement les associations elles-mêmes puisqu'il faut y ajouter les « inorganisés », les pratiquants libres. On remarque d'ailleurs que les sports individuels et en particulier ceux qui nécessitent peu d'infrastructures ou d'organisation ont progressé plus rapidement que les autres : jogging, gymnastique, planche à voile ou à roulettes, tennis également.

L'essor prodigieux des loisirs sportifs est bien sûr à rapprocher des nouvelles valeurs touchant le corps. Souci de sa santé, de son bien-être physique, de son apparence exté-

40

rieure. Il y a là plus qu'une mode. La valorisation du corps traduit une volonté de libération, d'affirmation personnelle, de simplification des rapports sociaux. C'est une nouvelle conception de l'individu et de ses rapports avec la nature qui se diffuse dans la société. En cela on peut voir la traduction, le signe extérieur de la grande contestation des années 60-70. Le refus du poids des institutions, du cloisonnement social, de la rigidité des rapports entre les êtres, du modèle standard des années passées ; le corps traduit avec force et de manière visible ce grand changement culturel et même de culture. Car il s'agit bien d'une culture du corps.

Vacances : « Ne pas toucher. »

Le temps des vacances est un temps privilégié pour les pratiques corporelles. Les 5 semaines sont maintenant le minimum légal. Mais de nombreuses entreprises accordent plus, 6, 7 voire 8 semaines parfois. En effet, avec la crise, il est souvent plus facile pour l'entreprise d'accorder des avantages « en nature », c'est-à-dire en temps libre, qu'en pouvoir d'achat. Cela correspond d'ailleurs fréquemment aux vœux des salariés car les vacances présentent l'inestimable avantage, à la différence des salaires, de n'être pas rognées par l'inflation. Plus de temps pour les vacances, plus de vacanciers aussi. A partir des années 70 on franchit le cap des 50 % de Français qui partent en vacances au moins une fois dans l'année. Au début des années 80 les vacanciers deviennent franchement majoritaires. En 84 ils ne seront pas loin de 60 %. Les vacances sont désormais entrées dans les modes de vie courants. De marginales, ou réservées à une petite minorité, elles sont devenues une habitude pour la majorité d'entre nous. Elles sont entrées dans les mœurs. Pour beaucoup il s'agit d'un temps très fort. Presque une seconde vie dans certains cas. La valeur et l'importance qui leur sont accordées se sont particulièrement révélées avec la montée de la crise. Le nombre de vacanciers n'a cessé de progresser malgré les restrictions.

Certains ajoutent malicieusement que la crise aurait même favorisé certains départs en vacances. Cependant, le contenu et la durée des vacances ont tout de même été touchés par la crise. On est, en moyenne, parti « moins loin, moins longtemps, moins souvent, et pour moins cher ». La généralisation des vacances est sans conteste une donnée importante des années 70-80. Elle est un prélude à la diversification des modes de vie à venir.

En définitive, le temps « hors travail » se caractérise encore aujourd'hui par la prédominance des activités familiales et par le rapide développement des loisirs sportifs. Face à ce constat, on a parlé de repli de l'individu sur lui-même par opposition aux activités de socialisation et de participation que l'on attendait avec l'extension du temps libre.

La vague d'espérance d'une société confraternelle ou «conviviale» exaltée au printemps 68 semble avoir tourné court...

FAMILLE : LE DÉBUT DE LA FIN ?

Le mariage à la baisse

Avec la croissance du temps hors travail, la famille se redécouvre des fonctions nouvelles, de nouvelles utilités. Elle n'a jamais paru aussi indispensable et on lui accorde, en général, une valeur très importante. Pourtant, après le passage de la famille traditionnelle à la famille « nucléaire » (parents-enfants), à partir des années 70, elle a recommencé à évoluer. Si son contenu affectif n'est pas remis en cause, l'institution semble une nouvelle fois ébranlée. Et d'abord par le mariage qui demeure aux yeux de certains le seul acte constitutif de la famille. Pas de mariage, pas de famille ?

En tout cas le nombre de mariages ne cesse de baisser depuis 1972 où l'on comptait 416 500 mariages dans l'année contre 315 000 en 1981. Baisse d'autant plus sensible que les jeunes en âge de se marier ont été plus nombreux chaque année. Refus du mariage par les jeunes générations ? Pas seulement, car, parallèlement, le nombre de divorces a fortement progressé. Un mariage sur quatre conduit au divorce et le nombre de divorcés non remariés a plus que doublé en l'espace de vingt ans.

Conséquence, de nouvelles manières de « vivre la famille » se multiplient : union libre bien sûr, concubinage officiel (avec acte notarié !) ou non, famille « monoparentale », couples homosexuels, etc.

Le développement de l'union libre est particulièrement net chez les jeunes. On avait l'habitude de parler de « mariage à l'essai », une sorte de test qui devait en principe conduire tout droit au mariage. On parle désormais de « cohabitation juvénile » (couples de moins de 35 ans) car la probabilité du mariage devient de plus en plus incertaine. Si l'on prend une génération en âge de se marier, soit 800 000 personnes, 200 000 ne se marieront pas et 200 000 autres divorceront avant cinq ans. Ainsi *la moitié seulement des Français auront une vie familiale « normale »*. Telle est du moins l'estimation d'Evelyne Sullerot dans son rapport sur le « statut matrimonial ».

Du même coup la proportion d'enfants naturels a beaucoup augmenté. En 1981, 102 000 enfants sont nés de parents non mariés, soit *13 % des naissances*. On parlait autrefois de naissances illégitimes. Leur nombre en a changé le sens ; de plus, dans un cas sur deux, l'enfant dit « illégitime » est reconnu par son père. En réalité, on observe une plus grande tolérance à l'égard des nouvelles formes de vie familiale et des enfants qui en sont issus.

Une sorte de suicide collectif...

La natalité a-t-elle souffert de ces évolutions de la famille et du mariage en particulier ? Il reste à le démontrer. La baisse de la natalité ayant commencé avant les évolutions dans la famille qui sont plus récentes. Cette baisse de la natalité semblait s'être stabilisée en France autour du seuil de 2,1 enfants par couple[1] qui assurait juste le renouvellement de la population à long terme. Les derniers chiffres sont plus préoccupants et accusent une nouvelle baisse : 1,85 pour 1983 ce qui est inférieur au simple renouvellement des générations. La France se rapproche ainsi de la très faible natalité des autres pays européens. Cette tendance, si elle se confirmait, pose de graves questions face à l'avenir : faiblesse des générations nouvelles, poids plus important des personnes âgées, réduction globale de la population enfin. Dans un monde en crise, dominé par le chômage et donc par l'excédent apparent de travailleurs, cette question est relativement passée sous silence. La négliger serait imprudent car l'action sur la démographie est une œuvre de longue haleine.

L'évolution de la famille, c'est d'abord l'évolution de la femme et de son rôle social. Les femmes ont souvent suivi les mêmes études que les hommes, elles ont parfois mieux réussi et se retrouvent majoritairement dans des emplois subalternes ou peu qualifiés. En outre, elles supportent l'essentiel du travail ménager et de l'éducation des enfants. La fameuse double journée de travail. Tous les ingrédients étaient réunis pour que les mouvements féministes trouvent un certain écho, portés par l'onde de choc des événements de Mai 68.

La famille, gardienne des traditions, n'a pas toujours bien supporté le désir d'une plus grande égalité et d'une meilleure reconnaissance du rôle de la femme dans le couple comme dans la société. Moins dépendantes psychologiquement et surtout matériellement, les femmes ont moins peur du divorce. D'ailleurs les demandes de divorce proviennent plus fréquemment des femmes que des hommes.

Le plus grand libéralisme sexuel a aussi exercé une influence. Le mariage représentant, de ce point de vue, une contrainte pas toujours facile à accepter. On a pu d'ailleurs

---

1. Jusqu'en 1974. Dès 1975 on passe en dessous du seuil de renouvellement de 2,1.

constater un décalage important entre la tolérance affichée au niveau des idées et la difficulté à vivre la réalité de cette liberté. Les conflits se sont exacerbés lorsque les femmes, en particulier chez les jeunes, ont revendiqué les mêmes droits et libertés que les hommes...

Un avenir incertain

Mais plus fondamentalement c'est l'engagement sur l'avenir, sur le long terme tout au moins, qui semble poser un problème. Les jeunes, à la différence de leurs parents, sont plus incertains. La crise renforce certainement ce sentiment. Le monde évolue de plus en plus vite et il est difficile de dire de quoi demain sera fait. Les mutations sont nombreuses ; il est certain par exemple que les jeunes d'aujourd'hui changeront plusieurs fois de métier au cours de leur vie, qu'ils mèneront peut-être plusieurs vies différentes, que leur mode de vie changera. Dès lors l'engagement ferme sur l'avenir paraît aléatoire. On préfère des engagements « temporaires » en fonction de la situation du moment sans se lier les mains par un contrat formel.

Les jeunes raisonnent plus également en fonction de leurs évolutions personnelles, de leurs propres aspirations. Ils sont moins dépendants que leurs parents de la tradition, des institutions ou des normes. L'aspect institutionnel de la famille effraie un peu. C'est l'individu, sa réalisation et sa satisfaction personnelle qui comptent avant tout. L'individu passe avant le couple qui apparaît parfois comme un obstacle plutôt qu'une aide à l'épanouissement personnel. La « montée » de l'individualisme, et certains disent du « narcissisme » ou des « égoïsmes », peut évidemment rendre plus difficile la vie familiale. L'augmentation du temps libre, et donc du temps passé en famille, rend plus exigeant à l'égard de l'autre. Moins on s'investit dans son travail, plus on est porté à chercher des satisfactions complémentaires dans le couple ou la famille.

En définitive on observe des *attitudes contradictoires* face à la famille. Valeur forte, y compris chez les jeunes en général, on en refuse souvent l'institutionnalisation ou le modèle unique auquel il faudrait se conformer pour la vie entière. La diversification des formes de vie familiale et leur moins grande solidité à l'usure du temps semblent être une tendance assez marquée. On peut y voir, selon son cœur, une menace pour l'avenir de la famille ou au contraire le signe d'une plus grande exigence dans la qualité des rapports attendue.

Un autre phénomène mérite de retenir l'attention. Une proportion de plus en plus importante de personnes vivent seules, qu'elles soient célibataires ou divorcées. Leur nombre est surtout important dans les grandes villes : pour Paris, par exemple, il s'agit de presque la moitié de sa population (47 %). Est-ce un refus de la famille ? Ou encore une manière différente de vivre les relations familiales en préservant un *temps et un espace* d'autonomie personnelle ? Questions importantes pour l'avenir, particulièrement pour l'éducation des enfants. C'est l'avenir du mode de socialisation et la manière de vivre ensemble demain qui sont en jeu. Le passé semble indiquer que lorsqu'on croyait la famille condamnée à terme, elle renaissait tout aussi forte sous des formes nouvelles. Il est clair cependant que le défi lancé au modèle familial ne sera pas sans conséquences sur l'ensemble des structures sociales. Au mode vie rural à dominante agricole a correspondu la famille « élargie », au mode de vie urbain et industriel la famille « nucléaire », à quoi ressemblera la « famille » de l'après-XXe siècle ?

LE « RURBAIN », HABITANT DU TROISIÈME TYPE

L'exode urbain

Les années 50 ont été marquées par l'exode rural, les années 60 par le développement des grandes agglomérations urbaines, les années 70-80 seraient-elles placées sous le signe de l'« exode urbain » ?

Parler d'exode est excessif. Néanmoins on assiste à un

renversement des tendances. Changement de fond avec ses multiples conséquences sur l'aménagement du territoire, sur l'urbanisation, le logement, sur les modes de vie aussi car la vie dans une petite commune ne ressemble pas à celle d'un grand centre urbain.

Les villes de plus de 200 000 habitants ont vu leur population baisser de *plus de 5 %* en moyenne entre 1975 et 1982. Même les banlieues dont on prévoyait une forte extension pour accueillir le « trop-plein » des centres ont très nettement ralenti leur croissance. Le transfert des populations s'est fait au profit des communes de moins de 20 000 habitants. Ce sont les communes rurales pas trop éloignées des grandes villes dont la population a le plus rapidement augmenté. La ville s'installe à la campagne ; les sociologues ont même inventé un mot pour l'occasion : la « rurbanisation ». Et ce n'est pas fini !

Si l'on en croit les sondages, 80 % des Français d'aujourd'hui ont envie de vivre dans une petite ville, dans un village ou à la campagne. Pas seulement les Français d'ailleurs ; car la fuite des grandes villes — l'attraction de la campagne si l'on préfère — se vérifie dans des pays aussi différents que la Belgique, la Grande-Bretagne, les États-Unis ou le Japon. A quoi est dû ce renversement de situation ?

A la grande ville elle-même tout d'abord. Son image de marque n'a cessé de se dégrader dans l'opinion publique au cours de la dernière décennie. Elle est de plus en plus synonyme d'encombrement, de pollution, de perte de temps, d'énervement, de bruit, de « stress », d'insécurité... On la rend responsable de bien des maladies, les maladies du monde moderne. La ville est devenue symbole, elle attise les passions. Symbole négatif dans bien des cas, symbole d'une *modernité dépassée*.

On y trouve difficilement à se loger. Le centre en est généralement inabordable et il faut partir de plus en plus loin à la périphérie pour trouver un logement. Lointaines banlieues qui, pour la plupart, n'ont ni le charme de la ville, ni l'attrait de la campagne. Cumul des inconvénients.

L'extension des banlieues a détruit un peu plus l'image de la ville. On accuse aussi la ville de « produire » de la solitude, de renforcer l'insécurité et le repli frileux dans « des petites boîtes » (appartement, voiture, métro, etc.). Du même coup, ce qui en faisait l'attrait (les nouvelles rencontres, l'animation, etc.) ne compense plus les inconvénients.

Certaines municipalités, conscientes de cette dégradation, tentent de réhabiliter la ville. Rénovation de quartiers anciens, projets d'animation, rues piétonnes, création d'équipements et d'espaces verts... Il en faudra beaucoup pour redresser la barre, pour faire croire à la « cité radieuse », à la nouvelle civilisation urbaine ou à la « ville nouvelle ».

Le village et ses mythologies

Pour l'instant c'est le village ou la petite ville qui se sont parés de toutes les vertus. On peut d'ailleurs craindre qu'à l'idéalisation de la ville des années 50 réponde l'idéalisation de la campagne des années 80 fondée sur un naturalisme « new look ». Ce mouvement néo-rural est puissant. Il s'appuie pour partie sur l'idéalisation du passé, de la nature source de bienfaits et d'entente entre les habitants d'une même communauté.

C'est un nouveau mode de vie que l'on choisit. Même s'il comporte lui aussi certains inconvénients : allongement du temps de transport, faiblesse des services collectifs (écoles, commerces, centres administratifs), rapports parfois difficiles entre ruraux et « néo-ruraux ». Mais les études faites auprès de ces nouveaux migrants montrent qu'en général ils ne regrettent pas la grande ville. Ils ont au contraire le sentiment de faire partie des nouvelles élites qui vivent « autrement », d'être du côté de l'avenir. De plus l'augmentation du temps hors travail permet de profiter pleinement des nouveaux espaces sans avoir à attendre le week-end libérateur. Quand on a la chance de posséder une maison et à fortiori un jardin, on y trouve des possibilités variées d'utiliser ce temps. Ce qui est bien sûr à mettre en parallèle avec le développement de l'économie domestique ou de l'auto-production dont nous avons parlé.

Résidence secondaire à la ville

Ceux qui peuvent aménager leur temps de travail ont plus de chance encore. Ils réduisent leur temps de transport et disposent d'un temps plus homogène à consacrer à leur maison. On voit même se multiplier les studios ou petits pied-à-terre dans les grandes villes pour ceux qui regroupent leur temps de travail en début de semaine et qui désirent s'épargner des trajets trop fréquents. Autre changement radical, *c'est la campagne qui devient la résidence principale et la ville résidence secondaire*, tout au moins pour les catégories les plus privilégiées.

L'attrait pour la campagne ou la petite ville est aussi très lié au désir d'être propriétaire et mieux encore propriétaire d'une maison individuelle. C'est la maison individuelle qui symbolise et illustre le mieux la propriété. Ces deux mots se confondent d'ailleurs. Ne parle-t-on pas de « propriété » pour désigner une maison ? L'investissement dans la pierre reste une valeur forte à défaut d'être toujours une valeur sûre. Depuis le dernier recensement de 1982 on sait que désormais la majorité des Français sont propriétaires de leur logement et que ceux qui ne le sont pas aspirent fortement à l'être. L'importance accordée à la sécurité et la force de la tradition sont à ce prix. L'accès à la propriété et particulièrement à la maison individuelle a aussi été encouragé. Parallèlement l'industrialisation et la relative standardisation des modèles de maisons individuelles ont permis d'abaisser les coûts et d'en accélérer la diffusion. Les quelques groupes spécialisés dans la production de maisons individuelles se sortent d'ailleurs mieux de la crise que ceux qui construisent du collectif. L'abondance de la publicité pour la promotion de la maison individuelle a incontestablement favorisé l'engouement pour la campagne. Plus qu'une maison, c'est un mode de vie que l'on y vante.

Le prolongement des transports collectifs qui vont de plus en plus loin de la ville pour atteindre les petites communes excentrées a aussi joué un rôle. Le prix du terrain dépend d'ailleurs grandement des moyens de liaison avec un grand centre urbain. La poursuite de cet effort va encore réduire l'un des plus forts obstacles à l'habitat rural. Les distances vont se rétrécir. Dans le même temps les entreprises n'hésitent plus à se décentraliser et à se rapprocher de ces nouvelles zones d'habitation, de ces nouveaux bassins d'emploi. L'innovation dans le domaine de la communication permet l'implantation de petites unités de production proches des zones de résidence. Bref, un ensemble de facteurs concourent à mieux relier la ville à la campagne qui était autrefois synonyme d'isolement. S'y installer ne relève plus de l'aventure.

Si la ville s'installe à la campagne, que restera-t-il de la campagne ? Une part des communes rurales seulement est touchée par la « rurbanisation ». La France profonde demeure intacte avec ses 32 705 communes (sur 36 000) de moins de 2 000 habitants et sa faible densité comparée à nos principaux partenaires européens. Loin de « submerger » la campagne, cette nouvelle vague de migrants de l'intérieur a au contraire permis de *revitaliser* certaines communes rurales. Les opérations-greffe de nouvelles constructions sur un tissu ancien ont souvent réussi.

Au fond, la campagne donne une sorte de *seconde chance* à une urbanisation maîtrisée et équilibrée.

L'ESPACE AFFECTIF : LE « PAYS »

Il y a ceux qui partent, il y a ceux qui restent. Ceux qui partent des grandes villes, ceux qui ne veulent pas y aller. Ils ont un point commun qui a pris la forme d'un slogan : « Vivre et travailler au pays. » Pour ceux-là il y a un clair refus du modèle de développement proposé dans les années

50-60. On n'accepte plus de sacrifier sa vie privée à sa vie publique, à sa carrière, à son ascension sociale, à une hypothétique progression de son revenu. Ce mouvement a commencé avant la crise économique. C'en était peut-être un des signes annonciateurs. En tout cas la crise l'a sûrement renforcé. Comme si elle justifiait le refus des sacrifices et le déclin d'une culture fondée sur une croissance forte. Ce n'est pas un hasard si ce mouvement s'est accompagné du renouveau des cultures locales dont on a retenu (un peu vite) surtout l'aspect folklorique.

Il y a beaucoup plus. A défaut de grands projets pour l'avenir, on a essayé de trouver des réponses du côté du passé. Réflexe logique de ceux qui ont le sentiment d'avoir fait «fausse route». Ou d'être passés, chemin faisant, à côté de l'essentiel. On idéalise le passé comme on idéalise la vie à la campagne. Tout se tient. On aspire à retrouver le rythme de vie d'autrefois. Prendre le temps, le temps de vivre qui s'oppose très directement au «Time is money», lequel avait dominé jusqu'alors. Du temps productif on passe au temps personnel. L'augmentation du temps libre autorise ces nouvelles expériences, ces nouveaux rapports avec le temps sans les contraintes d'autrefois car le temps, même à la campagne, était avant tout un temps de travail.

Retour au temps passé? Pas seulement. Il y a aussi la recherche d'une identité qui semble s'être diluée dans les phénomènes de masse. Communications de masse, consommation de masse, travail impersonnel... L'individu aspire à une identité, à être reconnu pour lui-même. Or, on assiste à une contradiction grandissante entre un individu de mieux en mieux formé, plus riche de possibilités diverses d'expression, et une société aux lourdes institutions qui lui laissent peu de moyens de s'exprimer et peu d'initiatives. Plus l'individu se développe, plus il aspire à être reconnu, à jouer son rôle effectif. Le conflit État-individu devient de plus en plus aigu. Outre la crise de la croissance économique, il y a aussi une «crise de croissance» de l'État et de ses institutions face à l'individu. Ces deux crises ne sont évidemment pas sans rapports. D'ailleurs, la réaction de l'individu porte aussi sur l'institution qu'est la grande entreprise. Celle qui réduit le travailleur au rang de « simple numéro » comme on dit. Le travail parcellaire ou le travail à la chaîne sont précisément la négation de l'individu.

Le renouveau local se fonde pour partie sur ces réactions fortes de l'individu face aux grandes institutions. C'est la revendication d'un univers à taille humaine. Celui qui permet la communication et l'échange direct entre les personnes. A la différence d'un univers où la communication passe essentiellement par les grands médias. Cette recherche de communauté et d'échanges est d'autant plus vive que les formes traditionnelles de socialisation ont été affaiblies.

Les associations, nouvelles communautés villageoises

L'intérêt pour la vie associative montre bien cette volonté de recréer un tissu social dans lequel l'individu puisse être entendu. Le nombre d'associations va d'ailleurs fortement progresser à partir des années 70. On estime aujourd'hui qu'il en existe entre 300 000 et 500 000 en activité, qui emploient 700 000 permanents. Ce sont les petites associations d'expression locale qui ont le plus fortement progressé. Elles recouvrent la variété des aspects de la vie locale : refus d'une bretelle d'autoroute, soutien à la fanfare locale, étude de l'histoire et des traditions locales, etc. Elles constituent un pôle d'animation essentiel dans une commune (parfois le seul !) et une possibilité de lien social permanent entre ses habitants. Toutefois le nombre d'adhérents actifs peut sembler faible si on le compare à celui d'autres pays européens.

32 % des Français de 1981 contre 28 % en 1973 déclarent participer à une association. Progression assez faible au regard du nombre d'associations qui se sont créées durant la même période. En réalité ce sont souvent les mêmes qui participent à plusieurs activités. On a même pu dire que la probabilité d'adhérer à une deuxième association était plus forte

que l'adhésion à une première. Les associations, malgré leurs efforts d'ouverture et leur vocation à se tourner souvent vers les milieux les plus défavorisés, recrutent essentiellement dans les classes moyennes de la population. Ce qui ne veut pas dire que leur influence n'aille pas bien au-delà. Dans la plupart des cas, l'association bénéficie à priori d'une large estime. Parce qu'elle est enracinée localement, parce qu'elle est l'émanation des habitants eux-mêmes, parce qu'elle symbolise un peu un contre-pouvoir face au système institutionnel. Par ailleurs nombreux sont ceux qui bénéficient indirectement des services qu'elle offre sans y adhérer formellement. L'association est donc très liée au renouveau local. Les municipalités, en général, ne s'y sont pas trompées. Les associations sont considérées comme de véritables partenaires du développement local, comme un moyen d'instaurer un dialogue permanent avec la population.

Retour au passé ou présage de l'avenir ?

Il faudrait ajouter aux associations déclarées les associations « de fait ». Regroupements informels, réseaux de connaissances ayant une base familiale ou non ; ceux-là se réunissent autour d'un projet avec des objectifs communs. Ils ne tiennent pas toujours à prendre une forme institutionnelle (aussi simple soit-elle !) à laquelle ils s'opposent souvent. Néanmoins, ils cherchent aussi à profiter de la « manne publique » en obtenant divers avantages : des locaux, du matériel, un animateur, etc. Il est, par définition, impossible de mesurer leur importance. Mais ils participent eux aussi au renouveau local, au rapprochement des résidents d'un même quartier. Certains ont même vu au travers de ces regroupements par affinités les bases d'une nouvelle socialisation, une sorte de nouvelle famille. Ils touchent particulièrement les jeunes et c'est pourquoi on leur prête un certain avenir.

Le vaste mouvement de décentralisation amorcé en 1981 devrait encore renforcer la vie locale et donner des moyens supplémentaires pour y développer une identité et une culture spécifiques. Les associations sont évidemment concernées au premier chef et leurs interventions prendront plus de poids encore.

Le renouveau local a très souvent été interprété négativement. On y a vu une sorte de fuite face à la crise, un repli sur soi en attendant des jours meilleurs, un retour au passé et un refus de progrès. Bref on l'a fréquemment assimilé à une attitude de retrait, voire de marginalisation. Dans ce cas les marginaux sont vraiment très nombreux !

On peut y voir, à l'opposé, un souci de reprendre l'initiative face à une société bloquée dans son développement et à des institutions qui peuvent de moins en moins répondre à la demande. Comme s'il fallait maintenant compter sur ses propres forces, prendre en charge l'organisation de sa propre vie, voire même de son travail, sans tout attendre de l'institution. Attitudes égoïstes qui encouragent le particularisme local au détriment des actions collectives ? Ce n'est pas sûr. Le renouveau local ne s'oppose pas au développement national. Au contraire il permet d'expérimenter des solutions nouvelles, d'inventer de nouveaux modes de vie. On s'enrichit plus de la différence que de l'identité.

La crise ouverte

Aujourd'hui, si vous parlez « crise », on traduit immédiatement : crise économique. Comme si la crise économique était la seule à pouvoir être vraiment vraie. Comme s'il fallait des indicateurs réputés objectifs, des chiffres (taux d'inflation, nombre de chômeurs, déficit du commerce extérieur) pour ouvrir les yeux, se pincer fort et se persuader qu'il y a vraiment crise. Il est alors bien tard. *La crise a commencé avant la crise.* Avant qu'elle soit reconnue officiellement et que l'on ne puisse plus la nier. Certes, les gouvernements ont toujours eu une tendance naturelle à minimiser ce qui va mal au profit de ce qui va bien. L'exercice est d'autant plus facile qu'en général l'opinion publique s'en accommode fort bien. On préfère les porteurs d'espérance aux oiseaux de malheur.

Il est aussi toujours plus facile à postériori de retracer l'itinéraire d'une crise, d'en montrer les origines. Qui avait prévu les événements de 68 avant le mois de mai ? L'explication vient toujours après. Il n'empêche qu'à croire seulement ce que l'on voit sur les indicateurs de marche de l'économie, on risque de passer à côté de changements sociaux importants, eux-mêmes porteurs d'évolution économique.

Nous avons essayé de montrer qu'à partir des années 60, les comportements sociaux, les modes de vie avaient connu une évolution (mutation ?). Cette évolution a préexisté ou coexisté avec les premiers indices de la crise économique. Que ce soit la transformation des modèles de consommation, l'apparition de nouvelles valeurs sociales, la place du travail dans la vie et dans la hiérarchie des valeurs, la montée des catégories moyennes, la conception du rôle de la femme dans la société, la volonté d'affirmation et de reconnaissance de l'individu ou encore l'aspiration à une nouvelle qualité de vie et à d'autres rapports avec la nature. On aurait tort de penser que ces changements dépendent exclusivement de facteurs économiques. A l'évidence ils possèdent une dynamique propre et des rythmes qui ne sont pas identiques à ceux de la vie économique. C'est pourquoi il est difficile, voire impossible, de dater la crise. Elle résulte d'une conjonction de facteurs économiques et sociaux qui se sont cumulés au fil des ans.

Officiellement, c'est-à-dire pour nombre d'économistes ou pour les pouvoirs publics qui trouvaient là une explication toute prête, la crise s'est «ouverte» en 1973. Cette année-là le prix du pétrole a été multiplié par trois. Choc aussi violent qu'imprévu qui a touché des économies dont la croissance n'apparaissait plus aussi saine qu'auparavant. Les économistes avaient remarqué que la productivité du

travail comme celle du capital avaient tendance à se ralen-
tir. Autrement dit la croissance se poursuivait sur sa lan-
cée mais les facteurs qui en assuraient le *dynamisme* avaient
tendance à faiblir. Au plan mondial, la cohésion des échanges, qui reposait sur l'accord monétaire de Bretton Woods,
avait été remise en cause par la décision unilatérale des États-
Unis de suspendre la convertibilité du dollar. Le règne du
« chacun pour soi » commençait alors que l'ouverture sur
l'extérieur avait été un élément essentiel du développement
économique. Mais jusqu'en 1973-1974, les fameux grands
équilibres tenaient bon. Les chiffres restaient à peu près
stables, à quoi bon s'alarmer ?

Il faudra attendre 1974 pour commencer à deviner
l'ampleur de la crise. Et beaucoup plus longtemps pour se
persuader que l'on bascule d'un univers à l'autre. Que la
croissance forte qui a marqué quelque trente années (« les
trente glorieuses ») est révolue et qu'il va falloir affronter
un nouveau monde.

LE CHOC DE LA DÉCROISSANCE

Du passager au permanent

Le nouveau monde c'est d'abord la crise de l'ancien. A
partir de 1974 les principaux indicateurs entrent dans la
zone rouge. La croissance qui suivait, « bon an, mal an »,
un rythme de 6 % chute brutalement à 3 % à partir de 1974
et à 1,5 % dès 1979. Plus grave, le niveau des investissements, c'est-à-dire la croissance de l'avenir, s'effondre et
ne progresse plus du tout à partir de 1980. Le rythme
d'inflation qui était à peu près comparable à celui de la croissance (5 à 6 %) passe d'un coup à 14 % en 1974 sous l'effet
du choc pétrolier. De même le commerce extérieur qui était
resté à peu près stable souffre de déséquilibres plus ou moins
accentués suivant les années. Bref, par réaction en chaîne,
la situation économique s'aggrave dans presque tous les
secteurs.

Il ne s'agit cependant pas de décroissance à proprement parler, mais plutôt d'une « décroissance de la croissance ».

Et nombreux sont ceux qui croient encore à une crise passagère. N'est-ce pas d'ailleurs la définition même d'une crise ? L'illusion est largement entretenue par ceux qui voient chaque jour le « bout du tunnel » pour le lendemain. Les remèdes utilisés s'inspirent pour partie de cette illusion. Ils ressemblent étrangement à ceux que l'on avait déjà employés dans les années 60. A la différence près qu'il s'agissait à l'époque de crises cycliques de courte durée. Différence entre une maladie bénigne et une maladie grave. Les métaphores médicales ont d'ailleurs un vif succès. Et certains n'hésitent pas à dénoncer le « cachet d'aspirine » ou le « cautère sur une jambe de bois » car ils pressentent bien que cette fois-ci on ne s'en tirera pas aussi facilement.

Schématiquement les remèdes appartiennent à deux grandes familles : le freinage ou la relance. On essaie un peu les deux, et parfois simultanément compte tenu des effets différés de l'une ou de l'autre politique. Il est vrai qu'il faut lutter sur tous les fronts. Soutenir l'activité, maintenir les niveaux de vie mais aussi limiter l'inflation et le déficit du commerce extérieur. La France, à la différence d'autres pays industrialisés, tente avant tout de préserver l'emploi, de maintenir une certaine progression du pouvoir d'achat tout en développant les acquis sociaux. En conséquence le rythme de la consommation, même s'il diminue fortement en 1974, se maintient à un niveau supérieur à la croissance (3,5 % par an). Cette « résistance » de la consommation est moins due à la progression des salaires qu'à la croissance rapide des prestations sociales. Rappelons-nous par exemple la procédure de licenciement économique qui permettait l'indemnisation à hauteur de 90 % du salaire antérieur. Le point culminant sera atteint en 1981 avec la revalorisation massive de nombreuses prestations sociales telle l'allocation logement. Du même coup la part des prélèvements sociaux et fiscaux passera de 36 % du PIB en 1974 à 42 % en 1980 et à près de 45 % en 1983. A l'évidence, ce soutien de l'activité par le maintien d'une consommation élevée pour la période n'a pas permis d'enrayer la crise. Certains disent que ces mesures ont permis de retarder ses effets directs sur les niveaux de vie mais pas de la combattre efficacement.

La découverte des crises cachées

Ainsi, peu à peu, d'expérience en expérience, la crise commence à être prise pour ce qu'elle est. Une crise profonde qui affecte les structures mêmes du développement économique et non une simple crise de conjoncture à l'image des précédentes. Moins une crise « de croissance » qu'une crise du *mode de croissance*. Les structures industrielles sont touchées en profondeur. Elles doivent faire face tout à la fois à la concurrence des nouveaux pays industriels dont les coûts de production sont inférieurs ; au vieillissement de leurs productions et au nécessaire renouvellement de leurs produits ; aux mutations technologiques qui révolutionnent les processus de production traditionnels avec les inévitables conséquences sur l'emploi. C'est une crise en profondeur car elle touche *au mode de production lui-même, à la façon de produire*. Ce qui implique la modernisation des équipements et donc de lourds investissements en matériel et en formation du personnel. Les adaptations indispensables pour rester compétitif au plan international sont particulièrement douloureuses dans un pays à la tradition industrielle ancienne comme la France. Douloureuses aussi parce que l'on a tardé à réagir.

Le secteur automobile par exemple, traditionnellement considéré comme un secteur de pointe de l'industrie française, grand pourvoyeur d'emplois, est très durement concurrencé par l'industrie japonaise plus moderne, où la robotique joue un grand rôle. En dépit de restructurations successives, l'industrie nationale a perdu de nombreuses parts sur le marché international. Avec l'introduction de plus en plus massive de l'informatique et de ses dérivés (productique, robotique, etc.), *il n'y a plus de secteurs industriels abrités*. D'ailleurs, depuis le début des années 70, le secteur industriel n'est plus créateur d'emplois. Ou plus exactement il ne s'y crée pas plus d'emplois qu'il n'en disparaît dans le même temps. La dynamique de l'emploi est assurée pour l'essentiel par le secteur tertiaire, privé ou public.

Vers l'industrialisation des services

C'est une autre mutation fondamentale dans le mode de croissance. Le centre de gravité de l'économie se déplace du secteur industriel au secteur des services. On a parlé de société postindustrielle et plus récemment de société de l'information pour essayer de qualifier cette mutation. En période d'expansion le secteur tertiaire était parvenu peu à peu à créer suffisamment d'emplois pour absorber l'excédent de main-d'œuvre. Mais le « gonflement » excessif de ce secteur par rapport au niveau de croissance a fini par se répercuter sur les coûts des entreprises et donc sur l'économie entière. Répercussion d'autant plus sensible que le secteur tertiaire, y compris le tertiaire marchand, a une productivité assez faible qui ne contribue pas pour l'instant à « tirer » la croissance. Quant au tertiaire public, certains mettent en cause son efficacité sociale et donc aussi son efficacité économique. On critique la lourdeur administrative et la part jugée excessive de l'État et des services publics dans la production nationale (PNB).

Les entreprises sont bien entendu les premières à s'élever contre les prélèvements fiscaux et sociaux jugés trop lourds dans une économie de libre entreprise où le marché doit conserver un rôle prépondérant. Au-delà de ce débat fondamental pour l'avenir, la question de l'efficacité économique du secteur tertiaire demeure posée. Ici encore, comme pour le secteur industriel, l'arrivée des technologies nouvelles apporte les premières réponses. L'électronique et surtout l'informatique commencent à pénétrer dans les bureaux. La bureautique, dont le succès se vérifie chaque année avec l'intérêt que suscite un salon comme le SICOB, se développe très rapidement. Machines à traitement de textes et micro-ordinateurs vont permettre d'automatiser de nombreuses tâches de bureau et de réaliser un gain de temps, et donc de productivité considérable. Ne parle-t-on pas déjà d'une machine qui par le jeu de la reconnaissance de la parole permettrait de retranscrire directement la parole sous forme de lettre sans aucune intervention humaine ?

Ainsi le secteur tertiaire est peu à peu en passe de s'industrialiser à son tour. Dans ces conditions d'énormes gains de productivité pourraient être obtenus à terme. Quelles en seront les conséquences sur l'emploi ? Là se situe le véritable débat de l'avenir. Si le secteur tertiaire parvient à surmonter sa crise de productivité, il risque d'aggraver la crise de l'emploi. Situation qui ressemble fort à la crise du secteur industriel et aussi, sous d'autres formes, à celle du secteur agricole. C'est bien d'une crise globale qu'il s'agit.

Refaire du « marketing »

On a déjà évoqué les évolutions dans le domaine de la consommation. Il faut y revenir car elles jouent un rôle non négligeable dans la crise. Les biens d'équipement qui avaient assuré la dynamique de la croissance des années 60 (automobile, équipement du logement, logement lui-même...) ne représentent plus un marché aussi porteur qu'auparavant. La demande augmente moins vite car il s'agit plus d'un marché de remplacement ou de renouvellement que d'un marché neuf. On ne voit pas pour l'instant dans les productions françaises des biens d'équipement ou de consommation susceptibles de prendre la relève et de relancer la croissance. La relance par la consommation qui a été tentée en 1981 a montré que la demande s'était largement portée sur des produits étrangers, ce qui a eu pour conséquence d'aggraver le déficit de notre commerce extérieur. Cela s'est particulièrement vérifié pour l'électronique de loisir (chaînes hi-fi, magnétoscopes, vidéo-jeux, etc.) qui est sans conteste un marché porteur pour l'avenir ; mais ce secteur est pour l'instant nettement dominé par les productions étrangères.

Il faut aussi prendre en compte l'évolution de l'attitude des consommateurs. Et notamment l'évolution vers des consommations plus « immatérielles ». Du temps, des vacances, des loisirs, de l'information. Plus une consommation *de services* que *de biens* en tant que tels. Il ne s'agit là que d'une tendance qu'il faut se garder de généraliser. Si elle se confirmait, elle aurait d'importantes incidences sur le modèle de croissance.

Enfin, en période de récession, le consommateur est plus prudent, plus sélectif dans le choix de ses consommations. Les conditionnements sont plus difficiles à opérer et les associations de consommateurs mieux entendues. A l'évidence les entreprises ont plus de difficultés à pénétrer un marché, à imposer des produits nouveaux même quand ceux-ci le sont réellement. Ce n'est pas seulement un effet de la crise. Il faut aussi y voir une évolution du modèle de consommation et des valeurs qui lui sont liées. Une nouvelle croissance devra nécessairement s'appuyer sur une étude très fine de l'évolution du marché. D'autant qu'avec l'« éclatement » des modes de vie et des aspirations, celui-ci a tendance à se segmenter de plus en plus pour répondre à des demandes très différenciées de la part des consommateurs. La consommation de masse des années 60 semble avoir vécu...

Formation : le grand réveil

Autre aspect de la crise : l'adaptation du système de formation aux besoins d'aujourd'hui et surtout de demain. Le décalage entre la formation initiale et les emplois offerts est une cause, parmi bien d'autres, du chômage chez les jeunes en particulier. A l'heure actuelle, dans des secteurs comme l'électronique, l'informatique ou la biologie, on manque de spécialistes. Certes on ne peut rêver d'une adéquation parfaite entre la formation et l'emploi. Elle n'a jamais existé. Mais certains s'inquiètent du retard de l'école face aux disciplines nouvelles. Pour faire face à la crise, l'école doit non seulement ne pas être en retard mais être plutôt en avance sur la préparation aux métiers de demain.

A partir de 1982 un gros effort en faveur de la formation a été entrepris (contrat emploi-formation par exemple). Il est prioritairement destiné à ceux qui sont frappés par le chômage. Mais en réalité chaque salarié est ou sera concerné par la formation permanente. A l'accélération des évolutions technologiques doivent correspondre des moyens d'y répondre rapidement. C'est un potentiel de formation considérable qu'il s'agit de mettre en place. Là réside une des clés pour sortir de la crise.

On mesure bien à partir de ces quelques exemples la profondeur de la crise et l'importance des changements qu'elle suppose. Qu'il s'agisse de l'adaptation des structures industrielles, de l'efficacité du secteur tertiaire, du rôle de l'État, de l'évolution des modèles de consommation ou encore de la formation des hommes. Mais on ne saurait parler froidement des facteurs structurels de la crise sans en prendre la dimension humaine. La réalité de la crise, c'est d'abord le chômage.

CHÔMAGE : LES RISQUES D'EXPLOSION

Chômage officiel et chômage réel

Le chômage n'est pas un indicateur parmi d'autres. A lui seul il symbolise la crise. Crise sociale autant qu'économique. L'inflation, le taux de croissance ou le commerce extérieur restent des abstractions. Dans les sondages, le chômage arrive très largement en tête des préoccupations des Français.

Même si l'on s'en tient au plan strictement économique,

le chômage reste d'ailleurs sans nul doute l'indicateur le plus préoccupant. En moyenne, le niveau et les conditions de vie des Français ont été préservés malgré la crise. On ne peut en dire autant du droit à l'emploi. Plus grave encore, il semble aujourd'hui possible de rétablir la plupart des indicateurs mais pas celui du chômage. Non seulement il ne s'améliore pas mais il continue à se détériorer. Le premier million de chômeurs a été atteint en 1975, le deuxième en 1981 et certains prédisent déjà le troisième. La réalité brute de ces chiffres ne traduit qu'imparfaitement l'ampleur du phénomène. Il faudrait aussi envisager tout ce qui ressemble à une sorte de *chômage latent*. A commencer par ceux qui seraient désireux de travailler si le marché de l'emploi était moins dépressif. On le constate lorsqu'il y a création de nouveaux emplois ; aussitôt de nouveaux demandeurs qui n'étaient pas enregistrés à l'ANPE se portent candidats. Autrement dit la création d'emplois ne fait pas reculer dans la même proportion le nombre de personnes désirant travailler. Les créations nouvelles provoquent un « appel d'air » dans lequel s'engouffrent de nouveaux demandeurs, des jeunes ou des femmes en particulier. Il faudrait aussi parler du « chômage déguisé », autre forme du chômage latent. Nombreuses sont les entreprises qui ne tournent pas à plein de leurs capacités productives. Une partie de leur personnel est alors sous-employée ou réduite au chômage partiel. Ce sous-emploi se voit également dans certaines administrations touchées par le ralentissement général. Le chômage réel ou latent serait plus lourd encore si des mesures sociales (ce que l'on appelle le « traitement social du chômage ») n'avaient pas quelque peu endigué la vague montante des sans-emploi. Réduction de la durée du travail à 39 heures, incitations à des réductions plus fortes (contrats emploi-solidarité), mise en place de stages de formation pour les jeunes, ou encore abaissement de l'âge de la retraite à 60 ans. Toutes formules qui, en réduisant le volume global d'heures de travail, permettent le maintien ou la création d'emplois. Mais bien entendu ces formules trouvent vite leurs limites avec le coût social qu'elles entraînent et que doit supporter le secteur productif.

La crise n'explique pas tout

En général on explique la montée du chômage par la chute de la croissance. L'explication est trop courte. Encore une fois on voudrait n'y voir qu'un aléa de la conjoncture. Ce qui est en partie contredit par les faits. En dépit d'une certaine reprise de la croissance, le chômage ne diminue pas. Certains pensent au contraire que la reprise de la croissance risque de passer, pour un temps du moins, par l'accroissement du chômage. Paradoxe ? Il est pourtant inévitable que certaines entreprises, pour se réorganiser et adopter un nouveau processus de production qui les rende plus compétitives, doivent parfois commencer par licencier. Quitte à recréer de nouveaux emplois lorsqu'elles auront retrouvé le chemin de l'expansion.

En réalité le chômage résulte de la conjonction d'une série de facteurs. Parmi lesquels on oublie souvent la démographie : chaque année il y a beaucoup plus de jeunes qui arrivent sur le marché de l'emploi que de salariés qui partent à la retraite en dépit des formules de préretraite. Plus de jeunes, plus de femmes aussi. Mariées ou non celles-ci sont de plus en plus nombreuses à vouloir travailler pour assurer leur indépendance financière au même titre que les hommes. Dans le même temps les mutations technologiques suppriment autant d'emplois qu'elles en créent. Le déséquilibre est flagrant. C'est d'ailleurs la question centrale de l'avenir. Rien ne dit en effet qu'en cas de reprise, même franche, de la croissance il y aura suffisamment de créations d'emplois pour combler ce déséquilibre. Au contraire les occasions de supprimer des emplois apparaissent plus fréquentes que celles d'en créer de nouveaux. Les industries qui utilisent une main-d'œuvre abondante (textile, automobile, par exemple) sont les premières touchées par l'automatisation. Les tâches répétitives à faible valeur ajoutée sont évidemment les plus faciles à automatiser.

Le remplacement de l'homme par la machine a toujours existé. C'est même la loi du progrès et du développement économique. Il semble néanmoins que nous soyons aujourd'hui soumis à une *accélération technologique* sans précédent. Et que le chômage technologique soit un problème beaucoup plus aigu aujourd'hui qu'hier. Même si à terme la croissance finit par susciter un nombre d'emplois suffisant, la période de transition menace d'être longue et difficile. D'autant plus difficile que le chômage doit être aussi considéré sous son aspect social. Il atteint maintenant près de 10 % de la population active. Des jeunes, de sexe féminin, faiblement qualifiés de préférence. Dans une société où le travail reste encore le principal moyen d'insertion cela risque de poser de sérieux problèmes de cohésion sociale. Certains prophètes avaient prédit l'« explosion » au premier million de chômeurs, puis au deuxième, maintenant au troisième million. Les faits leur ont donné tort pour l'instant. Il n'empêche que la masse grossissante des chômeurs représente dans l'organisation sociale un échec qui pourrait se retourner contre elle. Rejetés par la société, ils peuvent la rejeter à leur tour. Indépendamment de tout phénomène collectif, le chômage prolongé, chez les jeunes en particulier, pousse à des attitudes de marginalité qu'il est difficile de redresser par la suite. Il est des expériences qui marquent pour toujours. Il ne faut pas non plus perdre de vue que le chômage ne concerne pas seulement les chômeurs... Au fil des sondages on voit que chaque année les Français sont un peu plus nombreux à le redouter. Ils souscriraient volontiers à l'adage : « Chacun est, a été ou sera chômeur... »

Le défi au bon sens

La condamnation du chômage n'est pas le seul effet de la crainte de se retrouver soi-même sans emploi. Le chômage n'est pas accepté, il n'est pas compris non plus. Il est difficile d'admettre que dans une société hautement développée, aux potentialités illimitées, dans laquelle triomphent la science et les techniques, on ne puisse vaincre un tel cancer social. Le chômage est perçu comme profondément irrationnel et sans doute l'est-il. Tant de besoins à satisfaire face à des moyens techniques et humains considérables. Chacun sent bien que le chômage est moins un problème économique qu'un problème d'organisation sociale. Qu'il faut trouver les moyens de libérer les énergies et les forces productives. Mais que cela passe sans doute par une nouvelle conception du travail en rapport avec les autres temps de la vie et donc par un nouveau mode de croissance.

CRISE ET DISCOURS DE CRISE

Les perdants et les gagnants

Si la crise économique monopolise le débat public, on commence maintenant à admettre que sa profondeur, ses causes comme ses conséquences provoquent une véritable crise de société. Ce qui est bien normal dans une société qui a placé la croissance, le progrès économique et le travail au centre de ses valeurs.

Bien sûr les effets de la crise se font très inégalement sentir d'un groupe social à l'autre. Certains sont plus touchés que d'autres. Les groupes sociaux « à risque » ont tendance à être plus nombreux. Les immigrés, les jeunes, les OS, les travailleurs de la sidérurgie et du BTP, ceux qui ont dépassé la cinquantaine, etc., ceux-là sont les plus directement menacés par le chômage. Travail ou non-travail, c'est la principale ligne de fracture dans notre société. La véritable ligne de crise. Ce n'est pas la seule. Et chaque catégorie a tendance à se recroqueviller sur ses acquis, à refuser les changements qu'exigerait un minimum de solidarité pour faire face à la crise. En essayant par tous les moyens de s'en préserver, on ne fait que l'aggraver.

A l'opposé, il faudrait recenser les « gagnants » de la crise. Ils sont loin de faire l'équilibre mais ils existent. Ceux qui ont profité d'un marché dépressif pour lancer un produit nouveau ; ceux qui d'une manière générale font preuve de créativité et d'esprit d'innovation. Au plan économique la crise provoque une gigantesque redistribution des cartes. Et la France n'est pas dépourvue de « jokers ». Au plan social aussi il y a des gagnants. Notamment ceux qui ont su tirer un bon parti de l'augmentation de leur temps libre, ceux qui se sont investis dans de nouvelles activités productives ou non, qui ont trouvé de nouvelles satisfactions dans le développement de leur vie personnelle. On a parlé de « recentrés » pour les désigner. Mine de rien, ces « recentrés » représentent dans les styles de vie le groupe le plus important. S'ils n'existaient pas, comment pourrait-on expliquer que les sondages indiquent une forte majorité de Français « heureux » en dépit même de la crise. Même s'ils restent très pessimistes à l'égard de l'avenir. Il y a un formidable décalage entre le discours ambiant (celui des médias en particulier) et la réalité telle qu'elle est vécue par la majorité des Français. Décalage entre l'opinion « publique » sur les grands problèmes de société et la réalité de la vie quotidienne. Comme si beaucoup avaient trouvé une parade personnelle à la crise générale. Comme si, au-delà des grands problèmes économiques et sociaux qui restent en suspens, de nombreux Français avaient déjà trouvé une réponse dans leur manière de vivre. *Les nouveaux modes de vie court-circuitent la crise.* « L'après-crise est commencé [1] » mais l'auteur se situait essentiellement sur le terrain économique. C'est peut-être aussi et surtout sur le terrain des conditions de vie, des solutions individuelles que l'après-crise est commencé. Il faudrait au moins s'interroger sur la distance entre le pessimisme ambiant, reflet d'un discours monopolisé par une toute petite minorité, et la réalité vécue au quotidien. A trop analyser la société à travers les grands phénomènes, économiques ou politiques en général, on passe peut-être à côté de l'essentiel. Il n'est pas sûr que cha-

---

1. *L'Après-crise est commencé*, d'A. Minc, Gallimard, 1983.

cun se retrouve dans ces grands discours, qui sont peut-être déjà en retard sur la réalité. Tout se mesure à l'aune de la crise. Tout est considéré à partir de ses effets supposés. Il n'est pas sûr que nous ne finissions pas par en être aveuglés. Les industries traditionnelles sont démodées, elles conduisent au chômage ; les technologies nouvelles provoquent aussi le chômage ; le temps libre n'est qu'un pis-aller pour lutter contre le chômage ; la perte d'influence des organisations collectives ou des institutions, un effet de la crise ; le repli de l'individu sur la cellule familiale ou pis encore sur lui-même, un effet de la crise... La crise devient l'unité de mesure universelle et nous sommes incapables de distinguer ce qui est porteur d'avenir. De percevoir le neuf sous l'ancien. De nous libérer du vieux monde et des modèles anciens. Ce qui est réellement en crise, c'est un certain mode de croissance et la place du travail dans la société. Nous sommes incapables d'imaginer un monde sans croissance forte où le travail salarié n'occuperait pas forcément l'essentiel de l'existence.

L'avenir contre la crise

Au lieu d'essayer de voir le positif, nous ne voyons que le négatif. C'est peut-être ça la vraie crise : crise de confiance, crise des représentations de l'avenir, crise des valeurs, crise des discours stéréotypés, crise de l'imagination. C'est souvent l'imagination sociale qui fait défaut. Les rigidités sociales concernant le temps de travail par exemple retardent les adaptations nécessaires et amplifient au bout du compte le chômage. Les initiatives locales qui pourraient favoriser la création d'entreprises nouvelles sont trop souvent bloquées par des carcans administratifs étroits qui datent d'un autre monde, de celui de la crise précisément. La mesure même de la richesse est faussée. On se fie exclusivement au taux de croissance ou aux résultats du PNB. Sans voir qu'il ne s'agit que d'une partie seulement de la richesse produite. Que sortis de leur travail, nombreux sont ceux qui continuent à créer et à innover. Qu'il existe un formidable potentiel inutilisé, que ce soit les chômeurs, les personnes sous-employées ou ceux qui sont trop vite partis à la retraite. Qu'il ne manque donc pas de facteurs de développement à combiner avec la formidable puissance des nouvelles technologies. Il faut donc trouver les nouvelles structures qui permettent l'expression de ces potentiels. Pour cela, il faut oser faire face à l'avenir. Ne pas craindre de se projeter loin sous peine d'être une nouvelle fois rattrapé et dépassé par l'accélération du développement technologique. Une des vertus de la prospective consiste à faire advenir ce qui est imaginé. Le souhaitable doit se confondre avec le possible dans une société qui maîtrise son avenir.

Tel est l'enjeu pour que la crise d'aujourd'hui ne soit pas aussi une crise de l'avenir.

Deuxième partie

LES PORTES DE L'AVENIR

Avoir le réflexe de l'avenir

Se tourner vers l'avenir n'est pas une attitude aussi naturelle qu'on veut bien le dire. Nous préférons évoluer en terrain familier, là où nous avons nos points de repère, et nous rassurer en pensant que le lendemain ressemblera au présent. Il en va ainsi des hommes comme des institutions. Elles ont aussi une tendance naturelle à produire de l'identique, ne serait-ce que pour maintenir leur propre pouvoir. Cette tendance au conservatisme social nous semble renforcée en période de crise. Alors qu'il faudrait aller de l'avant, on observe souvent des réactions de sens contraire. Comme un réflexe de défense, une crispation sur les acquis de peur que la situation empire encore un peu plus. On conjure le présent avec des références au passé, à l'époque où il n'y avait pas de crise. Pourtant les Français sentent bien que le monde dans lequel ils vivent doit changer. D'après la dernière enquête du CREDOC [1] (1983), ils sont *plus de 70 %* à estimer que la société française a besoin de se transformer profondément. Ce résultat semble contredire la tendance au conservatisme social. En réalité il faut

---

1. Centre de recherche pour l'étude et l'observation des conditions de vie.

se garder de prendre une telle déclaration pour argent comptant ; et bien distinguer ce qui relève de l'opinion générale (qui ne coûte rien) et de l'acceptation d'un changement de situation personnelle. Dans ce domaine comme dans d'autres, c'est toujours le voisin qui doit changer le premier.

Il faut donc s'expliquer sur le sens du changement et sur les grandes mutations qui nous attendent. D'autant plus que le contexte sociopolitique a bien changé depuis 1981 avec l'élection d'une majorité de gauche. Il ne faudrait pas que les impératifs du présent détournent des perspectives d'avenir ou pire encore, regarder l'avenir comme on regarde dans un rétroviseur. Les images réalistes de l'avenir n'ont jamais été aussi nécessaires.

Il ne s'agit surtout pas de jouer les visionnaires. Même pas de proposer des scénarios plus ou moins noirs, plus ou moins roses. Ce seraient des caricatures. Plus modestement, il faut chercher les questions les plus pertinentes possible au regard de l'avenir. On trouvera ici plus de questions que de réponses. Mais les questions ne sont jamais innocentes et elles apportent une certaine coloration à l'avenir.

La révolution technologique, fil d'Ariane de l'avenir

La première concerne, on s'en doute, la mutation des technologies. Pour certains, il s'agit d'une véritable révolution. La troisième qu'ait connu notre société à travers l'Histoire. Le mot révolution se conçoit bien lorsque l'on songe aux multiples implications dues à l'introduction des nouvelles technologies, essentiellement à base d'informatique ou d'électronique. Révolution dans le travail ; révolution dans les qualifications, des cadres supérieurs à l'OS ; révolution dans les conditions de travail et dans les marges d'initiatives et de responsabilité des travailleurs ; révolution dans la conception même du travail en entreprise (possibilité de petites unités, flexibilité accrue du travail, etc.).

L'apport des technologies nouvelles ne s'arrête pas au seul travail professionnel. C'est pourquoi nous parlerons de

74

révolution globale. C'est l'impact sur les modes de vie qui risque, à terme, d'être le plus spectaculaire. Depuis l'augmentation du temps libéré grâce aux progrès de productivité dans le secteur tertiaire notamment, la multiplication des services à domicile, les possibilités de télé-travail, l'utilisation de microtechnologies à usage personnel ou collectif, les nouveaux loisirs à base d'électronique, l'extension de la communication interactive au plan local et (pourquoi pas ?) international.

Comment nous adapterons-nous à ce « saut » technologique ? Quels seront les rapports entre le marché et les besoins sociaux réels ? Quelles seront les parts respectives du service public et des services commerciaux ? Quelles en seront les possibilités de contrôle ou de régulation sociale pour sauvegarder les intérêts du « consommateur » ? Quelles seront les conséquences sur les relations sociales traditionnelles ? De nouvelles inégalités ou des risques d'atomisation sociale apparaîtront-ils ? Tels sont quelques terrains de discussion qu'il faut aborder au plus vite et le plus largement possible pour ne pas se retrouver devant le fait accompli (logique technicienne) et favoriser le dialogue social.

Chômage : plusieurs défis en un seul

Deuxième grande question, évidemment liée à la première, l'avenir du travail. Ou l'avenir du chômage pour les pessimistes ! L'avenir du travail dépend pour partie de la croissance. Or, chacun s'accorde pour estimer que dans un futur prévisible nous ne retrouverons pas les taux d'expansion de jadis. De plus, la question de l'impact des nouvelles technologies sur l'emploi reste posée. Entre les créations nouvelles et les suppressions prévisibles, quel sera le solde ? Positif ou négatif, et à quelle échéance ? Si l'on continue à s'orienter vers une réduction du temps de travail pour parvenir à un meilleur partage de l'emploi, quelle en sera la durée à l'horizon 2000 ?

Pourra-t-on continuer à exclure de la population active une masse aussi considérable de personnes alors que les jeunes aspirent à travailler plus tôt, que les femmes sont de plus en plus nombreuses à envisager de travailler, que les personnes de 55 à 60 ans se sentent encore en pleine force de l'âge et au meilleur de leur expérience ?

L'avenir du travail repose-t-il exclusivement sur le travail professionnel ? Ne faut-il pas distinguer *travail et emploi* et prendre en compte le travail domestique, l'autoproduction, les échanges de services, l'économie informelle qui tendent à se développer ? N'y-a-t-il pas un *nouvel équilibre* à trouver entre la production marchande et les autres formes de production ?

Jouer avec le temps

La troisième question porte sur l'organisation de notre temps. Si le travail n'est plus au centre des rythmes de la vie, comment utiliserons-nous le temps disponible ? Peut-il se réduire à un simple temps de loisir ? N'est-ce pas une chance d'élargir la participation sociale et de donner plus de force à la démocratie ?

Notre vie est aujourd'hui découpée en tranches fixes : formation — profession — retraite. Ne peut-on prévoir d'autres alternances qui permettraient de mieux prendre en compte les aspirations individuelles, les rythmes personnels sans nuire pour autant à l'efficacité économique ? A l'inverse, une société ne réclame-t-elle pas des temps sociaux relativement fixes pour préserver sa cohésion ?

N'est-ce pas à une politique du temps sur la vie entière qu'il faut réfléchir ?

Autonomie et démocratie

Le dernier type de question porte sur l'avenir de la démocratie. La tendance à l'individualisation, le repli sur soi, la perte d'influence de valeurs dominantes comme le travail nous posent de sérieuses questions sur les formes de vie collective de l'avenir, sur les nouvelles valeurs, sur les bases de l'unité nationale, bref, sur l'avenir de la démocratie elle-même.

Nul ne peut aujourd'hui répondre avec quelque certitude à ces questions. Mais en même temps chacun de nous détient une petite partie de la réponse. Avec l'augmentation du temps libre, le développement de l'autonomie, les marges d'initiative et de choix personnel deviennent plus importantes pour façonner le visage de l'avenir. Mais le renforcement probable de l'autonomie individuelle comme celle des groupes sociaux rend d'autant plus nécessaire la présence d'institutions stables (mais évolutives) ne serait-ce que pour garantir une certaine égalité de chances. Le développement de nouveaux espaces de liberté ne doit en aucune manière entraîner une quelconque régression sociale. Il est vital d'éclairer les enjeux pour que chacun ait conscience de son *pouvoir* sur l'avenir. Il est tout aussi vital que la société se dote des instruments qui en permettent la libre expression tout en assurant le minimum de consensus social. Tel est l'enjeu de notre confrontation avec l'avenir.

CHAPITRE III

Doit-on avoir peur
de la révolution technologique?

La peur de l'avenir

On s'est beaucoup interrogé sur l'impact des technologies nouvelles dans l'économie. Vont-elles nous permettre de sortir de la crise, de créer de nouveaux produits, de relancer le marché et la consommation? En revanche on s'est peut-être moins préoccupé de leurs effets sur les modes de vie, de savoir comment elles seraient acceptées (ou rejetées...), de mieux connaître l'opinion des Français à ce sujet. Il y a là un curieux paradoxe quand on sait que les technologies nouvelles n'affecteront pas seulement notre manière de travailler et de produire, mais que l'ensemble des aspects de la vie quotidienne en sera transformé. Paradoxe curieux car il est évident que la vitesse de diffusion de ces technologies dépendra *aussi* de l'intérêt qu'y trouvent les Français.

Or, les indications dont nous disposons n'incitent pas forcément à l'optimisme. Certes, il y a le réflexe de défense naturelle face aux mutations profondes. Peur quasi ancestrale, toutes les époques à l'aube d'une révolution technologique l'ont connue. Il faut en tenir compte. Peut-être plus aujourd'hui qu'hier.

Aujourd'hui, à la différence des années 60, l'idée, le mot même de progrès n'est plus jugé de manière aussi positive. Il est vrai qu'entre-temps la bombe atomique, le nucléaire, la pollution, les manipulations génétiques sont passés par là. Plus fondamentalement, les Français semblent désormais beaucoup plus vigilants aux coûts sociaux éventuels induits par tel ou tel progrès scientifique. C'est une leçon importante pour l'avenir. Le progrès doit engendrer des retombées positives dans la vie quotidienne sous peine de s'exposer à des blocages qui iraient à l'encontre du but recherché.

Cette méfiance s'exprime en chiffres. Seulement 32 % des Français jugent que l'utilisation des découvertes scientifiques conduit à une amélioration de leur vie quotidienne. Pour la majorité (54 %), l'amélioration est faible. Passons d'une question générale à une question précise qui nous concerne particulièrement puisqu'il s'agit de l'informatique, symbole des technologies nouvelles. Les résultats sont franchement préoccupants : 34 % des Français estiment que la diffusion de l'informatique est une chose souhaitable. La moitié ou presque (48 %) la jugent peu souhaitable mais inévitable. Ils s'y résignent en quelque sorte. A n'en pas douter, ces chiffres évolueront. Ils démontrent en tout cas une résistance, ou une forte inertie pour le moins, face à une technologie censée incarner le progrès et l'avenir. Il ne s'agit pas ici de savoir si les Français ont raison ou tort mais de prendre cette résistance comme une donnée importante pour l'avenir du développement de l'informatique tout spécialement dans ses usages quotidiens.

Essayons d'aller plus loin et de comprendre les appréhensions manifestées par les Français.

Une révolution dans la vie professionnelle

De l'électricité à l'informatique

Une certitude : la révolution informatique est inéluctable et touchera l'ensemble des Français dans leur vie professionnelle comme dans leur vie privée. C'est une révolution globale des modes de vie aussi importante que celle de l'électricité, et c'est probablement ce qui explique leur appréhension.

Au plan professionnel la révolution technologique suppose de profondes modifications dans *le nombre et la nature des emplois*, dans *l'organisation* du travail, dans *sa localisation*.

La question du rapport suppression/création d'emplois par l'effet de l'introduction des technologies nouvelles est le problème le plus redoutable. De ce rapport dépend en partie le volume de l'emploi (et du chômage...). Or les occasions de supprimer des emplois apparaissent chaque jour plus nombreuses. Plus nombreuses que celles d'en créer de nouveaux en nombre équivalent. Tous les grands secteurs de production sont touchés. Dans le secteur agricole la production laitière par exemple s'est considérablement automatisée, à une vitesse qui laisse les experts européens désemparés face aux excédents laitiers. Dans le secteur industriel l'introduction des technologies nouvelles est variable suivant les branches. Mais il est probable que les processus d'automatisation vont se généraliser dans les secteurs qui utilisent une importante main-d'œuvre faiblement qualifiée. La perte de compétitivité de l'industrie automobile française est pour l'essentiel due au retard pris dans l'introduction de la robotique et l'automatisation des chaînes de montage. Le sureffectif dans ce secteur oscillerait entre 50 000 et 100 000 emplois !

Et encore l'automatisation des processus de fabrication n'en est qu'à ses débuts. On parle déjà de troisième, de quatrième, voire de cinquième génération d'ordinateurs. Ordinateurs capables de détecter leurs propres erreurs et de les rectifier d'eux-mêmes, ordinateurs capables de commander, de contrôler et de réguler une armée de robots, etc. Les perspectives sont vastes et ne s'arrêtent pas seulement aux travaux d'exécution ou de fabrication. En amont les travaux de conception de nouveaux produits sont de plus en plus souvent réalisés à l'aide d'ordinateurs (CAO [1]) capables de

---

1. CAO : Conception assistée par ordinateur.

calculer immédiatement l'ensemble des paramètres et d'échafauder diverses hypothèses qui auraient nécessité le travail de plusieurs ingénieurs au lieu d'un seul. Dans ces conditions on peut prévoir que le travail humain dans les entreprises industrielles sera de plus en plus un travail de « bureau », l'homme n'intervenant plus directement dans la fabrication elle-même.

Un futurologue comme A. Toffler va plus loin encore. Il prévoit que la commande du consommateur (par catalogue sur vidéotex bien sûr !) déclenchera automatiquement la chaîne de production, permettant ainsi une adaptation parfaite de l'offre à la demande.

La fin des secteurs abrités

Précisément le travail de bureau va lui aussi considérablement changer. Le secteur tertiaire, principale source d'emplois ces dix dernières années, devra faire face à la révolution informatique. Rien qu'entre 1977 et 1981 le nombre de machines à traitement de textes a été multiplié par 4. Le travail de secrétariat est en passe de s'automatiser avec les diverses applications de la bureautique. Certains annoncent déjà, à la suite de Mac Luhan, la fin de la civilisation du papier. Les différents services aux usagers vont eux aussi s'automatiser progressivement. Les opérations bancaires courantes se traiteront à des guichets automatisés dont la distribution automatique de billets n'est que la préfiguration. La monnaie électronique par carte magnétique va peu à peu se substituer aux caisses traditionnelles des grands magasins. La commande directe par vidéo-catalogue, déjà très répandue aux États-Unis, risque même de réduire l'importance du secteur commercial lui-même. L'enseignement, la médecine auront de plus en plus recours à l'assistance de l'ordinateur. A terme, aucune profession ne sera épargnée. On comprend l'angoisse de ceux qui se voient déjà remplacés par la machine ou qui seront astreints à une révision profonde dans la pratique de leur métier et à de nouveaux apprentissages. Au terme de ce survol, est-il possible de faire le bilan de l'avenir de l'emploi ? A court terme le rapport création/suppression d'emplois a donc toute chance d'être négatif. « Simple » période de transition ?

Un choix difficile

A plus long terme il faut tenir compte de la combinaison de plusieurs facteurs. La première question consiste à savoir si les gains de productivité permettront d'ouvrir de nouveaux débouchés, de créer de nouveaux produits susceptibles de relancer le marché. Pour l'instant, on ne voit pas s'ouvrir de nouveaux marchés porteurs, susceptibles de relancer la croissance et de créer des emplois. Le marché de l'électronique de loisir et des micro-ordinateurs n'autorise pas de tels espoirs.

Selon J. Robin, « l'idée souvent avancée que les nouveaux biens électroniques (micro-ordinateurs domestiques par exemple) sont à même de prendre le relais des biens mécaniques (équipements ménagers, automobile) pour relancer le modèle de production de masse est trompeuse ; l'impact sur la demande globale, des micro-ordinateurs domestiques, dont le coût ne représente que quelques mois d'un salaire moyen, est sans commune mesure avec celui des biens d'équipement mécaniques qui pour l'automobile, par exemple, représentait au début de sa diffusion de masse une dépense correspondant à quelques années de revenu pour un salaire moyen ».

La deuxième question est de savoir la vitesse de diffusion des technologies nouvelles dans les différents secteurs de l'économie. Si elle est rapide, le décalage entre suppressions et créations risque de s'accélérer d'autant et d'accentuer le déficit en emplois. Si en revanche la diffusion est lente, on maintiendra plus longtemps des emplois traditionnels au risque d'affaiblir la compétitivité des entreprises et d'aggraver à terme le chômage si la reprise de la croissance n'intervient pas suffisamment vite. Jusqu'à présent, on s'était plutôt orienté vers la deuxième voie. Compte tenu des résistances sociales on a cherché d'abord à préserver l'emploi dans l'espoir d'une reprise de la croissance.

De nombreuses entreprises ont tardé à se réorganiser jusqu'à la limite de l'asphyxie financière. Mais on ne peut (y compris au nom de l'emploi) tourner indéfiniment le dos au progrès. A long terme, c'est un mauvais calcul, car il faut un appareil productif compétitif pour pouvoir profiter pleinement d'une reprise éventuelle de la croissance. C'est pourquoi aujourd'hui on favorise plutôt l'accélération de l'introduction des nouvelles technologies. Quitte à creuser un peu plus le déficit de l'emploi. Ce qui ne signifie pas obligatoirement une forte aggravation du chômage. Mais il faudra alors trouver d'autres solutions pour le combattre, telle la réduction du temps de travail et un meilleur partage de l'emploi.

Ainsi, même à long terme, les perspectives de l'emploi incitent plutôt au pessimisme. Mais faut-il parler de pessimisme si les technologies nouvelles permettent de produire plus et mieux avec moins de travail, à condition que ce travail en moins ne signifie pas du chômage en plus ?

Ce n'est qu'une nouvelle étape dans la tendance historique à la réduction du temps de travail dans les sociétés industrialisées. Il est vrai que cette tendance finit par poser de sérieuses questions d'organisation sociale qui annoncent peut-être un changement de société.

Une nouvelle géographie des emplois et des qualifications

L'impact des nouvelles technologies n'affecte pas seulement le nombre d'emplois, à terme il révolutionnera notre manière de travailler, la structure des emplois et des qualifications. Deux facteurs sont essentiels pour l'avenir : la vitesse de diffusion des technologies et notre capacité à nous y adapter à l'aide du système de formation initiale et permanente ; les choix qui seront faits dans la manière d'utiliser ces nouvelles technologies.

Pour l'instant l'avenir à moyen terme est plutôt envisagé avec un certain pessimisme. De nombreux métiers vont être bouleversés par la mise en place de systèmes informatisés. Certaines fonctions qui exigeaient des qualifications très « pointues » vont se transformer en tâches de simple exécution ou de surveillance. C'est le cas des typographes par exemple, qui constituaient pourtant le sommet de la hiérarchie ouvrière. De nombreux métiers risquent ainsi de subir une importante *déqualification*. D'autres subsisteront mais deviendront de simples auxiliaires de la machine avec un travail plus parcellisé encore, laissant de moins en moins de place à l'initiative personnelle. A l'usine de Douai, qui est l'établissement le plus automatisé de la Régie Renault, les opérations de soudage pour l'assemblage de la caisse automobile seront automatisées à 80 %. Les 20 % restant seront assurés complémentairement par l'homme. En attendant un nouveau pas vers l'automatisation complète.

A l'opposé, l'utilisation des nouvelles technologies suppose de nouvelles qualifications, de nouveaux savoirs techniques. De ce double mouvement déqualification/qualification on peut se demander celui qui l'emportera. A terme, l'issue ne fait pas de doute, l'industrie comme les services nécessiteront un personnel qui à tous les échelons sera nanti de qualifications nouvelles. A plus brève échéance, *le risque est fort de voir s'installer un profond clivage entre ceux qui pourront s'adapter et ceux qui ne le pourront pas*. Entre les plus jeunes qui auront été familiarisés aux technologies nouvelles, et les plus anciens dont le recyclage risque de poser des problèmes.

Maîtrise ou soumission ?

Prenons le cas de l'informatique. C'est un instrument formidable de planification et d'organisation du travail dans une optique de rentabilité maximale. Elle peut imposer sa logique sans faille à l'ensemble des travailleurs de l'entreprise. Dans ce cas la marge d'initiative et d'autonomie des travailleurs sera extrêmement faible. Même les cadres devront obéir à cette logique et se contenter de veiller à la bonne exécution d'un processus uniforme. Le pouvoir sera concentré entre les mains d'une poignée de concepteurs de très haut niveau chargés de trouver la meilleure solution possible et d'en assurer la programmation. C'est la « société programmée » que certains redoutent à juste titre. Les exécutants disposant seulement de « terminaux non intelligents » permettant de relayer efficacement l'information venue du haut.

A cette version « centralisée » de l'utilisation de l'informatique peut se substituer une logique différente. En effet la véritable découverte n'est pas l'informatique [1], c'est la *micro-informatique*. Autrement dit, les mille et une possibilités d'utiliser l'informatique de manière décentralisée. A partir d'objectifs généraux, chaque atelier pourrait programmer son travail en fonction de variables qui lui sont propres. Cette informatique plus flexible, faisant appel à l'initiative voire à la créativité, n'a évidemment pas du tout les mêmes effets sur la nature et l'intérêt que chacun peut apporter à son travail. Une informatique décentralisée, bien maîtrisée, serait aussi probablement d'une meilleure rentabilité que l'informatique uniforme qui ne peut faire face à toutes les particularités de chaque secteur de production. Au fond, l'informatique peut reproduire un modèle « à la chaîne » de travail comme elle peut nous en libérer définitivement. Pour l'instant, c'est plutôt la logique de l'uniformité qui prédomine. (De grosses organisations comme les PTT ou les grandes banques ont pris conscience de ce danger et tentent d'y faire face.) A l'avenir, une meilleure formation du personnel, une gestion plus décentralisée de la production pourraient au contraire favoriser une plus grande souplesse et une plus grande responsabilité dans le travail. Face à la révolution informatique, il faut le temps d'en

---

1. L'informatique existe depuis longtemps, c'est sa banalisation qui est cause de révolution.

apprendre le langage et la manière de l'utiliser. L'informatisation de la vie quotidienne accélérera aussi les apprentissages nécessaires à la vie professionnelle.

Une nouvelle « donne » sociale ?

L'évolution de la nature du travail ne peut être dissociée de celle des conditions de travail. Or, il existe une forte mobilisation sur le terrain des conditions de travail. Par crainte précisément des effets des technologies nouvelles. Le terrain des conditions de travail est très vaste : durée du travail, pénibilité du travail, droit d'expression des travailleurs... L'introduction de nouvelles technologies dans l'entreprise ouvre un nouveau champ à la négociation entre partenaires sociaux. Il s'agit souvent de négociations globales qui touchent aussi à la nature du travail. La revalorisation du travail, une liberté plus grande laissée aux ateliers, une meilleure formation aux techniques nouvelles sont souvent les objectifs communs des partenaires sociaux. Il serait abusif de parler de consensus. Il n'empêche que les objectifs de rentabilité et de qualité peuvent très bien recouper des objectifs de revalorisation et de plus grande implication du salarié dans son travail.

Cette négociation est particulièrement indispensable en France où la condition ouvrière est en général moins considérée que dans d'autres pays européens (salaires inférieurs, position inférieure dans la hiérarchie, avantages sociaux moins conséquents, etc.). Or, les ouvriers d'aujourd'hui devront être les techniciens de demain, ils seront au centre du développement économique.

Pour certains, les technologies nouvelles vont permettre de sortir des logiques d'affrontement systématique qui caractérisent bien souvent les relations sociales. Il est bien sûr facile d'être optimiste pour l'avenir, surtout quand il s'agit du long terme. Pourtant, le niveau supérieur de formation, les possibilités accrues d'expression des travailleurs, les usages décentralisés des microtechnologies sont des chances réelles pour l'avenir. Elles peuvent contribuer à rapprocher le travailleur de son entreprise. Certains parlent même d'une nouvelle culture de l'entreprise qui serait une clé du développement futur.

Au fond certains rêvent un peu de l'entreprise à la japonaise. Par ses bons côtés bien sûr. C'est-à-dire l'attachement à son entreprise, le sentiment d'œuvrer pour le bien commun, d'y trouver une identité. Ceci va d'ailleurs dans le sens de la recherche d'une meilleure image de marque des entreprises. Image de marque interne tant il est vrai que les entreprises les plus performantes sont fréquemment celles où l'on « vit » mieux. Image de marque vers l'extérieur par la technique à l'américaine du « sponsoring » de manifestations sportives par exemple ou par le mécénat et la création de fondations d'intérêt général. De nombreuses entreprises cherchent à être plus « en prise » sur la vie quotidienne et à mieux coller aux préoccupations du public en général et pas seulement de leurs clients. Il s'agit là d'une hypothèse pour l'avenir (en forme d'espoir) plus que d'une certitude. En réalité, pas plus demain qu'aujourd'hui il n'y aura de modèle unique. Tout dépendra de l'utilisation de l'outil et de l'ampleur de la négociation au sein de chaque entreprise. Il est toutefois certain que l'introduction de nouvelles technologies est l'occasion d'une *nouvelle donne sociale*. Une occasion de réhabiliter l'image de l'entreprise (spécialement dans le secteur industriel) et d'y rendre le travail plus attractif. Nul doute que les partenaires saisiront cette occasion qui est une chance pour le développement économique mais aussi pour le développement social et culturel. C'est un nouveau mode de vie dans l'entreprise, une nouvelle image du travail qu'il s'agit d'inventer.

Ces grands qui font des petits

Si l'informatique permet de « décentraliser » le travail, elle permet aussi la décentralisation géographique de l'emploi. Pour l'avenir des modes de vie, la localisation de l'emploi est aussi importante que la nature même du travail. A la décentralisation politique et administrative va correspondre la décentralisation des entreprises. Les différentes applications de la *télématique* vont permettre d'éviter l'isolement. Certaines grandes entreprises ont déjà essaimé de petites unités de production plus ou moins autonomes aux quatre coins de la France. Par ailleurs, les entreprises qui se créent n'hésitent plus à sortir des grandes agglomérations, n'y laissant qu'une représentation réduite. Le mouvement est engagé, il va se poursuivre rapidement tant les facteurs y sont favorables. Il vient à point car il accompagne une autre tendance, socioculturelle cette fois, à la «rurbanisation», due à la forte attraction de la petite ville dont nous avons déjà parlé. L'offre et la demande vont au-devant l'une de l'autre. Pour les salariés, les avantages sont évidents : rester au «pays», économiser le temps perdu dans les transports. Pour les entreprises, les avantages ne sont pas moins évidents. Dans les années 60, la grande entreprise était synonyme d'économie d'échelle et de gains de productivité. Aujourd'hui et plus encore demain, ce sera l'inverse. Les coûts d'organisation, la bureaucratie, la lenteur qui s'ensuit pèsent de plus en plus lourd dans le budget. Le travail en petites équipes obtient souvent de meilleurs résultats. Il correspond aussi aux vœux de la majorité des salariés qui redoutent la dépersonnalisation du travail dans les grandes structures. Ceci est bien connu et ce serait déjà un motif suffisant de décentralisation.

Mais à l'avenir la bonne insertion locale sera aussi décisive dans la réussite des entreprises. Tout particulièrement pour les entreprises de services. Il leur faudra répondre à des demandes qui seront tout à la fois *variées, personnalisées* et *complexes*. Ce qui suppose une grande souplesse d'organisation et une bonne connaissance du contexte local. Bien coller au terrain, se rapprocher des consommateurs, avoir une connaissance fine de leurs modes de vie seront les impératifs de demain pour l'entrepreneur. Ceci se vérifiera d'autant plus sûrement que l'avenir de la consommation passera par des produits liés à l'information, à la formation, à la santé, à l'environnement ou aux loisirs. L'utilisation optimale de la ressource locale est sans aucun doute l'un des ressorts de l'économie de demain. Pour cela l'entreprise devra s'insérer dans l'univers quotidien et coller aux nouveaux rythmes et modes de vie.

Travail à domicile : le grand retour ?

La décentralisation du travail peut aller plus loin encore. Jusqu'au travail à domicile. Le *télétravail* est en effet l'une des applications possibles de la télématique. Le salarié relié par un terminal à son entreprise n'aurait même plus besoin de se déplacer pour traiter les dossiers, ou assurer des fonctions de contrôle et de surveillance. A la limite, c'est la disparition de l'entreprise comme communauté de travail; seule subsisterait l'entité morale de l'entreprise. En réalité, les futurologues ont été un peu vite en besogne. Ainsi l'entreprise Bell avait-elle prédit qu'en 1990 tous les cadres américains travailleraient chez eux. On sera loin du compte. En France, les premières expériences de télétravail ne touchent encore que quelques centaines de personnes. Les obstacles à la diffusion de cette nouvelle forme de travail à distance sont plus sociaux que techniques. Le travail à domicile n'a pas très bonne cote. Il a (paradoxalement!) des relents du passé, d'exploitation, de travail à la tâche, de salaire au rendement, de détournement de la législation du travail, de travail « noir ». Les syndicats, en règle générale, n'y sont pas du tout favorables. Pour les raisons que l'on vient de mentionner mais aussi par crainte d'effritement de leur influence sur une masse de travailleurs, ainsi éparpillés. Certaines entreprises, à l'inverse, verraient plutôt d'un bon œil le développement du télétravail, souvent pour des raisons précisément opposées à celles des syndicats. On en est là.

A l'avenir le télétravail devrait, malgré ces obstacles, fortement se développer. Certaines professions vont l'utiliser massivement, agents d'assurances, professions juridiques, chercheurs, universitaires, etc., toutes celles qui nécessitent une abondante base de données et le traitement rapide de celles-ci. Dans l'industrie, le télétravail sera plus probablement dans un premier temps un complément du travail en entreprise. Il y aurait ainsi une alternance entre des moments de présence sur le lieu de travail proprement dit et le travail chez soi.

Le «pour» et le «contre»

A l'évidence le télétravail permet une flexibilité des horaires à laquelle aspirent de nombreux salariés, spécialement ceux qui désirent travailler à temps partiel. C'est aussi une grande facilité pour ceux qui veulent rester près de leurs enfants tout en continuant à travailler. Ainsi devrait-il se banaliser pour devenir une forme de travail parmi d'autres.

S'il devenait «majoritaire», ce dont nous doutons, il faudrait en mesurer les risques. La tentation serait grande pour l'entreprise d'imposer au salarié des rythmes et une disponibilité difficilement compatibles avec sa vie privée. La législation du travail devrait alors rapidement évoluer. Mais c'est l'éclatement de l'entreprise, ou tout au moins de la communauté qu'elle constitue, qui risque de poser le plus de problèmes. A la fois pour l'entreprise qui aurait du mal à motiver des salariés «à distance» et à faire partager des intérêts communs; et aussi pour le salarié qui ne trouverait plus dans le travail l'occasion d'échanges et de socialisation dont nous manquons déjà parfois cruellement.

Les premières expériences démontrent que le salarié redoute de se trouver confiné dans un univers clos, sans contacts directs, réduit à un isolement forcé dans un monde où les relations non «médiatisées» se font de plus en plus rares.

Mais il est probable que les générations futures, habituées dès le départ au face-à-face avec l'écran, ne raisonneront pas de même...

Une révolution dans la vie quotidienne

De nouveaux outils « sur mesure »

L'impact des technologies dans la vie quotidienne est moins souvent évoqué que leur impact sur le travail. On voit bien la révolution qui est en train de s'opérer dans le processus de production, dans la manière de produire. Pour la vie de tous les jours, on en reste aux influences, certes considérables, des usages de la télématique, de l'explosion des technologies de communication. C'est une réduction injustifiée des perspectives d'avenir. La révolution technologique touchera bien d'autres secteurs que celui de la communication. Tous les aspects de la vie quotidienne, à des degrés divers, sont concernés. Il n'est évidemment pas question d'en faire l'inventaire. Bornons-nous à quelques exemples.

Nous l'avons déjà dit, la révolution technologique tient moins à la découverte d'un procédé, qu'à sa « miniaturisation », à ses possibilités d'utilisation par chacun de nous. Ce sont les *microtechnologies* « sur mesure » qui vont révolutionner notre mode de vie.

Dans le domaine de la santé, par exemple, de nouveaux appareils capables de calculer les « biorythmes », d'établir un bilan de santé plus ou moins complet ne vont pas tarder à apparaître. L'autodiagnostic et l'automédication vont se développer, avec les risques que cela suppose par ailleurs. Dans le secteur des loisirs, les innovations technologiques ne se comptent plus. Depuis le deltaplane en passant par l'« ULM » jusqu'aux vidéo-jeux. Avec l'extension du temps libre, ces nouveaux loisirs, ceux liés à l'électronique tout particulièrement, vont connaître une forte expansion.

Prenons encore le bricolage. Mot qui devient de plus en plus vague puisqu'il désigne aussi bien les petits travaux de réparation que des travaux lourds d'aménagement de la maison ou de construction. Cette deuxième catégorie se développe déjà à un rythme soutenu avec la multiplication des maisons individuelles et surtout les progrès de l'appareillage utilisé. Les nouvelles technologies appliquées au « bricolage » permettront d'aller de plus en plus loin, de réaliser des travaux plus complexes. L'amateur se professionnalisera. Construire sa propre maison n'apparaît déjà plus comme un ouvrage démesuré. Les instruments sont beaucoup plus performants : depuis les plans réalisés à l'aide de l'ordinateur jusqu'à l'assemblage d'éléments préfabriqués.

Ce bricolage « haute gamme » touchera tous les secteurs de la vie quotidienne. Produire sa propre énergie à l'aide de petites turbines, fabriquer son bateau ou sa planche à voile « sur mesure », réaliser un instrument de musique, etc. Avec l'aide de ces nouvelles techniques, chacun pourra être le producteur de sa propre consommation et la personnaliser comme bon lui semblera. C'est un véritable secteur économique à part entière qui est en train de se mettre en place. Il dépasse de beaucoup l'économie domestique traditionnelle (préparation des repas, entretien du logement, éducation des enfants) pour devenir une économie à *fort potentiel technologique* capable de réalisations sophistiquées. Le mouvement « alternatif » allemand a été assez loin dans le développement de ces micro-économies conviviales qui ouvrent de nouveaux échanges marchands ou non entre producteurs individuels.

Production, consommation : le « court-circuit »

Ainsi les nouvelles technologies à usage du quotidien peuvent renforcer l'autonomie et la capacité créative de chacun et étendre son pouvoir sur ses propres conditions de vie. Loin de nous l'idée que l'économie pourrait se réduire à ces formes de production autonome, à l'autoproduction. Il n'empêche que la conjugaison de l'innovation technologique et du temps libre pourrait bien transformer le consommateur passif en consommateur actif c'est-à-dire autant producteur que consommateur. Cette micro-économie deviendra alors une composante essentielle du développement qui ne pourra être réduit à sa stricte dimension marchande.

Le monopole de l'information

Pourtant, à l'heure d'aujourd'hui on estime que les changements les plus importants proviendront de l'explosion des techniques de communication. Il y a là une vraie question pour l'avenir car rien ne dit que les technologies évoquées ci-dessus ne se développeront pas aussi vite. Et il semble que leur impact sur les changements de mode de vie, sur le développement, sur l'économie sera plus décisif encore.

L'attention a été polarisée peut-être excessivement sur les techniques de communication. Pour trois raisons. Les technologies existent déjà ou sont en voie de devenir (vidéotex, visiophone, etc.); à ces technologies doit correspondre un vaste marché, celui de l'information, symbole de la consommation de demain; l'idée enfin que toute communication est bonne en soi, que les Français souffrent d'un manque de communication et surtout que les technologies nouvelles apportent la réponse adéquate. Qu'il y ait une véritable révolution dans les technologies de communication n'est pas contestable. Que le vrai problème de l'avenir soit moins celui de l'innovation technologique que de son usage et de ses conséquences sur notre manière de vivre n'est pas contestable non plus. Du satellite au câble, les innovations s'ajoutent et se complètent pour donner naissance à un vaste réseau d'information. On connaît les descriptions futuristes de la maison de demain. A partir du téléphone et de ses dérivés, on peut installer par exemple le vidéotex, la télécopie, le visiophone. L'ensemble sera géré par un petit ordinateur reliant le foyer au réseau «multiservices» extérieur.

Deuxième série d'innovations, celles qui tournent autour

de la télévision : la « péritélévision ». La mise au point de l'écran géant plat (le « mur-écran »), l'antenne parabolique permettant de recevoir des programmes du monde entier, le câble et la multiplication des programmes régionaux ou locaux, le vidéodisque et le magnétoscope.

Troisième série d'innovations, relatives à l'ordinateur domestique central chargé d'assurer la régulation des principales fonctions au sein de la maison. Fonction de sécurité du foyer, réglage de la température mais aussi gestion du budget familial, ou moyen d'éducation (EAO [1]).

Le foyer disposant de l'ensemble de ces innovations sera transformé en foyer électronique, véritable maison audiovisuelle. Nous détaillons sous formes de schémas les principaux services auxquels on peut penser pour l'an 2000 et la configuration des appareils qui constitueront le centre névralgique de la maison de demain.

Des logiques d'affrontement

Ainsi peut-on dessiner aujourd'hui ce qu'il est *théoriquement* possible d'installer dans chaque foyer dans un avenir plus ou moins proche. Quelles sont les techniques et quels seront les services qui seront réellement exploités à grande échelle ? Nul ne peut le dire si l'on tient effectivement compte des différentes logiques qui doivent s'articuler (s'affronter ?) pour permettre leur développement. Une logique purement *technicienne* qui ne tient compte que des conditions de « faisabilité » de l'installation de tel ou tel média. Une logique *marchande* qui ne tient compte que des objectifs de vente. Une logique *des groupes et associations* chargés de défendre les intérêts du public et d'évaluer l'impact social de la mise en place de tel ou tel média. Une logique de *l'État* qui doit permettre la coordination des logiques précédentes et définir ce qui relève du service public ou non. Pour l'instant la logique technicienne appuyée par

---

1. EAO : Enseignement assisté par ordinateur.

l'État prédomine. Ce qui peut paraître normal dans un premier temps puisqu'une technique doit être parfaitement au point avant de songer à l'utiliser sur une grande échelle. Les expérimentations et les opérations pilotes se multiplient comme à Biarritz. Seront-elles suffisantes pour parvenir à en tirer des conclusions assez fiables en vue d'une exploitation grandeur nature sur l'ensemble du territoire national ? Il y aurait tout intérêt à associer le plus en amont possible les représentants des usagers, les syndicats, les associations, afin de s'assurer de la bonne insertion des nouvelles techniques dans la vie sociale. Ce sont eux-mêmes d'indispensables relais d'information auprès du grand public. Il serait paradoxal que des techniques censées assurer une meilleure communication soient choisies dans le secret des bureaux d'études ou des cabinets ministériels.

De l'innovation à l'utilisation massive

D'autant que la pure et simple logique du marché n'apparaît pas aussi prometteuse qu'on pouvait l'espérer. Prenons le cas du micro-ordinateur familial dont on parle tant ; à peine plus de 1 % des Français en possèdent un et les perspectives de développement sont loin d'être aussi rapides que prévu. Beaucoup avaient acheté un micro-ordinateur sur un coup de tête, comme on achète un gadget, et s'en servent assez peu, à l'exception des vidéo-jeux. Ceux qui s'en servent vraiment sont ceux qui en ont également l'utilisation dans leur vie professionnelle. Il est vrai que le fonctionnement d'un micro-ordinateur suppose un minimum de connaissances techniques.

L'informatique « conviviale »

Pourtant les clubs d'informatique ou les associations qui utilisent l'informatique dans leurs activités sont très appréciés. Pas seulement pour l'initiation mais aussi comme pratique de groupe. L'informatique est alors aussi un support ou le prétexte à des échanges. Les fabricants de micro-ordinateurs ont bien compris la nécessité du relais associatif : ils ont eux-mêmes créé leurs propres clubs pour assurer la diffusion de leur matériel : le club des Sharpentiers (matériel Sharp), le club PPC (Hewlett Packard), le club Atari ou encore celui d'Apple réunissent de plus en plus d'adeptes. Considérée comme une pratique essentiellement individuelle, l'informatique semble mieux se développer à partir de groupes ou d'associations. On n'est pas loin de penser que la plupart des autres technologies suivront le même chemin. L'avenir serait ainsi plus aux centres de communication qu'au foyer électronique ou à la maison audio-visuelle. Est-il vraiment indispensable en effet de posséder chez soi un télécopieur ou une vidéothèque ?

La logique du marché, on s'en doute, ne pousse pas forcément à la création de tels centres. Les équipements individuels sont évidemment plus rentables que les équipements collectifs. Mais il se pourrait bien que les associations et les centres de communication soient des relais indispensables avant une diffusion plus large. Pour l'initiation, le test du matériel et l'achat en connaissance de cause. On voit bien que les nouvelles technologies de la communication ne conduisent pas obligatoirement à un individualisme forcené ou à l'atomisation sociale comme on l'entend trop souvent dire.

Maison ou blockhaus ?

Pourtant les risques restent grands. Quand on connaît la faiblesse du nombre de personnes qui participent à la vie associative, à celle d'un club ou de toute autre organisation collective. Quand on sait aussi le temps passé devant l'écran de télévision qui ne cesse de croître parallèlement à l'augmentation du temps libre. Avec la multiplication des services à domicile (téléachat par exemple), le câblage et l'utilisation de nouveaux canaux de télévision ajoutés aux possibilités de télétravail, le risque d'isolement est grand.

Pour certains la maison électronique de demain pourrait avoir des airs de blockhaus. Elle pourrait accentuer la tendance à l'individualisme. Mais, surtout, l'écran pourrait se substituer à toute forme de vie sociale. Même l'amour pourrait emprunter le canal du petit écran : dans notre liste des services pour l'an 2000 figure bien le « télécouple » ou mariage par vidéomatique ! A la limite, la maison électronique peut être parfaitement autosuffisante et « médiatiser » tous nos contacts extérieurs par l'intermédiaire du petit écran (qui dans le futur sera vraisemblablement un grand écran). On peut communiquer avec la terre entière et rester profondément isolé. Ce danger existe. On ne saurait trop le prendre au sérieux car une fois de plus la vitesse de diffusion des technologies risque de nous prendre de court et d'aller plus vite que les capacités de réaction sociale.

L'extrême solitude du public

D'autant plus que le corps social (ou la société civile si l'on préfère) ne dispose pas encore de formes d'organisation (associations, syndicalisme du cadre de vie) suffisamment puissantes pour permettre ces réactions, pour peser dans le choix de l'État, des sociétés de télécommunication ou des industries culturelles. Seul, le milieu du travail est suffisamment organisé pour faire entendre la voix des différents partenaires et imposer les négociations nécessaires. On peut se demander si les différentes formes d'organisation collective n'ont pas un « virage » à prendre pour faire face aux vrais enjeux de l'avenir, ceux du quotidien. Certains syndicats sentent bien qu'ils ne peuvent plus se cantonner au seul monde du travail et que de plus en plus les revendications à partir du travail portent aussi sur le hors-travail.

Mais on est encore loin d'un véritable syndicalisme du cadre de vie. Peut-être n'est-ce pas la forme la plus appropriée ? En tout cas il y a urgence à faire naître ou à renforcer les formes d'expression collectives susceptibles de peser dans les décisions nationales qui ont des conséquences sur le quotidien de chacun.

L'information « en miettes »

La deuxième question qui est aussi un danger potentiel tient à *l'émiettement* de l'information. Les sources d'information et les programmes vont se multiplier. L'information représentera une part essentielle dans la consommation de demain. Mais on ne peut la réduire à une consommation banale. La surinformation guette. Trop d'informations peuvent nuire à celui qui ne sait les ordonner, les hiérarchiser. Elles peuvent entraîner la passivité de celui qui ne peut les resituer dans un projet culturel où il affirme son identité. Le risque d'une culture « en mosaïque », d'une culture éclatée, est manifeste.

Dans un tel contexte l'information peut asservir et non servir le projet individuel ou collectif. A l'évidence, le risque d'inégalité entre ceux qui sauront en maîtriser le flot et ceux qui s'y « perdront » ne peut être ignoré. Inégalité entre ceux qui sauront mettre l'information en perspective et ceux pour qui elle sera une fin en soi. On peut craindre que les *inégalités de demain soient surtout culturelles*. L'idée couramment avancée consiste à croire qu'en mettant plus d'information à la disposition de chacun on réduit les inégalités. Cette idée est fausse car l'important n'est pas l'information (tout est information !) mais la manière de la traiter et de l'utiliser. Pour cela l'ordinateur ne suffit pas.

Danger « zombies »

Un danger analogue peut provenir de l'hyper-spécialisation. La multiplication des programmes et banques de données spécialisées devrait permettre à chacun de développer ses terrains de prédilection, d'affirmer ses pôles d'intérêt. A condition de ne pas s'y cantonner et de rester ouvert à d'autres formes d'information et de partager des valeurs communes, une culture commune avec ceux qui n'ont pas les mêmes centres d'intérêt. On voit déjà certains passionnés qui ne peuvent communiquer qu'entre eux, qui possèdent leur propre langage, leur propre code et donc un même mode de vie. Ceux-là sont fermés à toute autre forme de réalité et à tout échange qui ne concerne pas leur sujet. C'est un autre risque d'atomisation sociale, par groupe cette fois-ci. Des groupes autonomes où circule une information « uniforme », incapables de communiquer avec les autres et d'adhérer à des valeurs communes pourtant indispensables à toute vie sociale. Le risque d'éclatement par une segmentation excessive de l'information n'est pas négligeable. Les nouvelles techniques de communication peuvent produire ce type de langage spécialisé indéchiffrable pour ceux qui n'en possèdent pas les clés. Les technologies de la communication en elle-mêmes sont inaptes à créer une culture commune. Elles peuvent au contraire creuser des fossés entre ceux qui sont capables de dominer les différents langages et d'opérer des liaisons et ceux qui ne le peuvent pas.

La communication (du) pauvre

Au fond il faut se défaire de l'idée qu'une société de l'information est par définition une société de communication. Les technologies de l'information nous apportent seulement une nouvelle manière de communiquer. Il n'est pas évident que cette communication soit plus riche. Le langage informatique par exemple est extrêmement *pauvre* s'il ne s'inscrit pas dans d'autres formes de langages, dans un projet culturel. De même le vidéotex est un appauvrissement par rapport à une communication directe avec un service de renseignements. C'est un enrichissement uniquement s'il intervient comme un langage complémentaire. Le défi de l'avenir consiste à empêcher les nouvelles techniques de communication de se substituer aux autres formes de communication : interindividuelles, de groupe ou encore par l'écrit.

100

L'avenir doit permettre à chacun de *cumuler* plusieurs langages, un peu comme on parle des langues étrangères. Le rôle de l'école est bien entendu décisif à cet égard. Tout le problème est d'arriver à harmoniser les différents langages qui sont autant d'instruments pour l'élève d'aujourd'hui, le citoyen de demain. Et surtout d'éviter les affrontements entre modernistes (tenants des nouveaux langages) et traditionalistes (tenants d'une culture livresque). Le problème reste posé pour les adultes d'aujourd'hui qui doivent aussi s'approprier ces nouveaux langages sous peine d'être soumis à la passivité et à l'incommunicabilité avec le nouveau monde qui s'ouvre devant nous.

Les nouvelles technologies nous font entrer dans un nouveau monde. Parce qu'elles révolutionnent globalement nos modes de vie, que ce soit dans le travail ou hors travail, tous les aspects de la vie quotidienne en seront tributaires. Mais pour autant elles ne nous disent pas de quoi demain sera fait.

En réalité elles nous posent plus de questions qu'elles n'apportent de réponses. Nous en avons énuméré quelques-unes, volontairement provocatrices parfois pour alimenter le débat sur l'avenir. Elles sont aussi une chance dans le sens où elles remettent de nombreux compteurs à zéro. L'introduction de nouvelles technologies permet de redistribuer les cartes sociales. Dans la vie professionnelle, elles supposent un large débat sur les conditions de travail, sur sa durée, sur la nature des productions. Dans la vie quotidienne, elles peuvent renforcer l'autonomie de ceux qui en ont le moins en leur donnant des instruments supplémentaires pour créer leur environnement, aménager de nouveaux loisirs et même renforcer la vie associative. Mais cette nouvelle autonomie ne doit pas être le privilège de quelques-uns. C'est pourquoi il importe de trouver les formes collectives qui rendent possible le débat social sur leur utilisation. Dans le monde du travail les organisations collectives existent déjà ; des lois récentes ont accru leur possibilité d'expression. Il n'en va pas de même dans la vie hors travail où chacun est beaucoup plus livré à lui-même. Il importe tout autant de créer les conditions d'un dialogue social au quotidien. Au plan local si les décisions relèvent de cet échelon, au plan national quand cela est nécessaire.

Car s'il est vrai que les nouvelles technologies peuvent renforcer l'autonomie et la liberté, elles ne la créent pas pour autant.

CHAPITRE IV

Le travail a-t-il un avenir ?

L'avenir du travail est, pour l'instant, la principale préoccupation des Français, tous les sondages le montrent avec force. Plus de la moitié d'entre eux craignent un jour de se retrouver au chômage. L'inquiétude ne provient pas seulement de la crainte du chômage au plan individuel. Elle s'explique aussi par le sentiment diffus que le travail est le « *grand ordonnateur social* », le principe de base de fonctionnement de nos sociétés. De lui dépend notre statut dans la vie sociale (on ne dit pas « Qui êtes-vous ? » mais « Que faites-vous ? » lorsqu'on rencontre un inconnu), du travail dépend l'organisation du temps et des rythmes sociaux, sur le travail encore se fondent les principales valeurs, le sens du devoir, le sentiment d'utilité, l'ordre, la hiérarchie, etc. De lui encore dépend pour beaucoup l'essentiel des relations sociales, des possibilités d'échanges et de rencontres qui se poursuivent en dehors. Bref, la crise du travail est celle qui permet le mieux de mettre le doigt sur la crise de civilisation.

Ne changeons-nous pas de société si le travail n'occupe plus qu'une faible part du temps de vie ? Or, la plupart des futurologues s'accordent sur la prévision d'une importante réduction à terme. Selon certaines sources, en l'an 2000,

103

le travail au sens traditionnel ne représentera plus que 11 % de l'ensemble de notre temps de vie. On dira que cette réduction du temps de travail n'est pas nouvelle et qu'elle a commencé en 1840, date des premières lois sociales en la matière. Il est vrai qu'il s'agit d'une tendance lourde de l'Histoire. Mais comment penser que la décroissance *quantitative* du travail ne donnera pas lieu, passé un certain seuil, à un changement *qualitatif*, à un changement de société? C'est cette mutation historique que nous sommes en train de vivre et qu'il va falloir «digérer» d'ici l'an 2000.

L'équation impossible : plus de travailleurs, moins de travail

Sur quoi se fondent ces prévisions? Simplement sur le décalage croissant entre les emplois offerts et l'importance de la demande. Côté offre nous avons souligné l'impact des technologies nouvelles et la perspective d'une croissance qui sera plus modérée que par le passé. Côté demande, à l'inverse, la progression sera nette : augmentation de l'espérance de vie, augmentation de la population, propension de plus en plus forte des femmes à vouloir travailler, désir des jeunes de rentrer plus tôt dans la vie active, refus des plus âgés d'en être exclus trop vite. A l'évidence, la réduction du temps de travail est inscrite dans les faits si l'on ne veut pas continuer à marginaliser une part de plus en plus importante de la population avec les risques que cela suppose. Nous en sommes déjà à 10 % de chômeurs dans la population active, sans compter ceux qui désireraient travailler si la situation s'améliorait ou ceux qui en formation sont dans l'attente d'un emploi.

Le problème n'est pas spécifique à la France. Prenons les chiffres éloquents publiés par le BIT[1] : entre 1975 et l'an 2000, les forces de travail augmenteront de près de *un milliard* de personnes dans le monde; créer un milliard d'emplois signifie qu'en moins de vingt ans il faudrait trou-

---

1. BIT : Bureau international du travail.

ver deux fois plus d'emplois qu'il n'en existe aujourd'hui dans les pays développés.

Élargir notre conception du travail

Tel est le grand défi de l'avenir et à l'évidence on ne le résoudra pas seulement par la croissance ou/et la réduction du temps de travail. C'est notre conception même du travail qui devra évoluer. Aujourd'hui nous en avons encore une conception très restrictive. On confond trop souvent travail et emploi, travail et économie marchande, travail et taux de croissance. Il faudra sans doute revenir à une conception beaucoup plus large. Le secteur marchand n'en est qu'une partie. Pensons au travail familial, à l'autoproduction, aux activités bénévoles, à l'éducation et à la formation.

Prenons l'exemple de la formation. Parmi tous les éléments qui permettent à une société de se développer (capital, technologie, travail, etc.), la formation est, de l'avis même des économistes, un facteur *essentiel* de la productivité et donc du développement. Dans cette perspective il serait peut-être normal de rémunérer le temps de formation à l'égal d'un travail. C'est déjà en partie le cas et ce le sera de plus en plus à l'avenir avec l'accélération technologique et les recyclages qu'elle imposera.

Autre exemple, l'autoproduction. L'autoproduction n'est pas simplement l'acte de produire pour soi-même. C'est aussi faire « travailler » le commerce (ex. : le bricolage), acquérir de nouvelles connaissances et de nouveaux savoir-faire dont l'économie entière profitera ; c'est aussi donner lieu à des échanges qui eux-mêmes susciteront du travail par un effet « boule de neige ». Ce qui importe, c'est moins le travail (au sens strict) que *l'activité elle-même*. L'activité génère l'activité et crée des emplois au bout du compte. Le chômage est une richesse perdue, un potentiel d'activité gâché. C'est pourquoi il est si mal accepté à la fois par ceux qui en sont victimes et par l'ensemble de la société. Personne ne peut admettre qu'il n'y ait pas suffisamment d'activités productives pour tous. De fait il y en a ! Notre problème est que nous ne reconnaissons « officiellement » que les activités donnant lieu à un emploi (fixe et permanent de préférence) et à rémunération. *C'est moins le travail qui est en crise que notre manière de le mesurer et de lui affecter une rémunération.* Ce qui définit un état donné du mode de production. Ce mode de production peut devenir une entrave à la libération d'autres formes de travail. L'avenir suppose sans doute son dépassement. C'est-à-dire une prise en compte de toutes les formes de travail, leur harmonisation et de nouvelles modalités de distribution des revenus.

Il ne s'agit pas dans les pages qui suivent de décrire ce nouveau mode de production. Mais de montrer plus simplement à partir de ce qui existe aujourd'hui comment les différentes formes de travail peuvent se combiner entre elles et se répartir au sein de la population. A l'évidence, l'avenir du travail sera à multiples facettes. Il importe de toutes les faire valoir, marchandes ou non, et de libérer les initiatives de chacun qui feront le développement de demain. Le travail n'a pas un avenir, il a des avenirs.

Les nouveaux marchés du travail

Le nouvel « homo œconomicus »

Nous sommes en économie de marché. Ou plus exactement à dominante de marché. Nous devrions y rester et certains pensent même que le rôle du marché pourrait s'accroître à l'avenir. En effet, la plupart des pays industriels, y compris la France, ont freiné les dépenses publiques et cherchent à réduire le rôle de l'État. Ainsi le marché devrait-il garder un rôle prépondérant. Mais au marché de l'économie officielle (ou formelle si l'on préfère), il faut ajouter les marchés parallèles ou ce que l'on appelle aussi l'économie souterraine[1]. Or ceux-ci, qui reposent pour une part sur le travail noir, ne cessent de se développer avec la crise, le chômage et l'augmentation du temps libre. Il est par définition difficile d'en mesurer l'importance ; certains estiment qu'en France ils devraient représenter entre 15 et 20 % de la richesse nationale. Largement alimentés par la crise, ces marchés parallèles, qui représentent une activité économique importante, indiquent peut-être une des voies de l'avenir. Au lieu de tenter de les interdire, ce qui est d'ailleurs impossible, certains pensent qu'il faudrait réfléchir à de nouveaux aménagements juridiques et fiscaux. En commençant par distinguer les fraudeurs patentés (le travail noir « trois étoiles ») et ceux qui moyennant certains assouplissements pourraient créer de nouveaux circuits d'échanges économiques. Certaines dispositions visant à faciliter la création d'entreprises vont déjà dans ce sens. Ce qui semble d'autant plus indispensable que les nouvelles technologies vont permettre à chacun de nous de créer des richesses, de fabriquer de nouveaux produits, et donc de provoquer de nouveaux échanges. L'exemple américain montre que les innovations proviennent de plus en plus d'individus isolés ou de petits groupes qui, à partir d'une passion (l'informatique pour ne pas la nommer !), montent de véritables *réseaux d'échanges,* aboutissant parfois à la création de produits parfaitement commercialisables. Le succès de la Silicon Valley en Californie repose sur ce genre d'« entreprise ». Comme le disait un humoriste, si le travail noir existe c'est qu'il y a du travail ! Le succès des marchés parallèles peut amener le marché officiel à évoluer favorablement et à se rapprocher de la demande réelle et des nouveaux besoins qui ne peuvent trouver leur satisfaction actuellement.

A un niveau plus modeste, un journaliste considère qu'il serait possible de faire travailler de nombreux chômeurs en

---

1. On estime en Italie que près de 6 millions de personnes travaillent clandestinement, soit le tiers de la population active.

leur donnant des petits travaux (artisanat, menuiserie, conseils techniques) à la carte chez des particuliers. Incontestablement la législation devra fortement évoluer pour libérer les forces du travail. Si en raison des progrès technologiques une part croissante du travail se fait *hors des entreprises*, il faudra bien que la législation le reconnaisse dans l'intérêt du travailleur comme du client. Dans bien des cas le marché parallèle assure un service que ne peut rendre l'économie officielle. Il faut trouver des solutions réglementaires diversifiées pour permettre une plus libre expression des besoins et des moyens de les satisfaire. L'économie est un tout et chaque richesse produite est génératrice de richesses à venir. Pour retrouver sa dynamique l'économie officielle doit se régénérer et se frotter aux nouvelles formes de travail.

Des emplois en attente

Ces solutions ne représentent bien sûr qu'une goutte d'eau face aux emplois qu'il faut créer pour absorber le chômage d'aujourd'hui et celui de demain. Même s'il y a tout lieu d'être prudent sur le moyen terme, il faut essayer de détecter les secteurs porteurs d'avenir et les emplois qu'ils peuvent susciter. Il est plus facile de prévoir les secteurs qui seront en expansion que les emplois eux-mêmes. En effet d'après le rapport préparatoire du IXe Plan, 2 salariés sur 3 à partir des années 90 exerceront *un métier qui n'existe pas encore*.

On est sûr de ne pas se tromper en prédisant un bel avenir aux secteurs de l'électronique et de l'informatique. Développement des technologies de communication, introduction massive de l'ordinateur dans les entreprises (robots) comme dans les bureaux (bureautique), forte expansion de l'électronique de loisir, etc. Les limites au développement seront *plus humaines qu'économiques*. Il y a aujourd'hui environ 400 000 ingénieurs en France, il en faudrait plus *de un million* en l'an 2000. Les spécialistes de circuits intégrés, par exemple, sont aujourd'hui 800, il en faudrait 2 500 en 1985 ; les programmateurs-systèmes sont 6 500 contre 10 000 nécessaires à l'horizon 85. Au total il faut former 40 000 ingénieurs en informatique dans des délais très courts. Compte tenu du niveau de qualification requis, le pari est difficile à tenir. La formation initiale n'y suffira pas et il faudra développer une formation permanente de très haut niveau.

Le marché du corps

Autre secteur auquel on prête un bel avenir, celui de la santé. Sous le quadruple effet du progrès médical, de la commercialisation d'appareils destinés au grand public, de l'intérêt croissant des Français pour leur santé, de la part très importante du 3e (et 4e) âge dans la population à l'horizon de l'an 2000. Les « techniciens » de la santé et les professions paramédicales sont déjà en forte expansion. D'une manière générale, c'est toute une « industrie du corps » qui est en train de voir le jour. Soins pour le corps, loisirs sportifs, sports de compétition sont des créneaux porteurs. En élargissant encore le cercle, c'est toute l'industrie des loisirs qui va subir une forte accélération avec l'augmentation du temps libre et l'avancement de la retraite. Depuis le tourisme (transports, hôtellerie, infrastructures), en passant par l'industrie culturelle et les communications. Il faudrait encore ajouter le développement certain du secteur des biotechnologies, de la génétique, de l'espace, etc. Plus tous ceux qui se créeront sûrement d'ici l'an 2000. Rappelons-nous : il y a seulement dix ans l'industrie de la vidéocassette n'existait pratiquement pas ni celle de la planche à roulettes !

Quels métiers pour tous ces secteurs en expansion ? Nous en dressons la liste sous forme de tableau [1]. Quelles sont les principales caractéristiques de ces métiers de demain, du travail de l'avenir ?

---

1. Voir Annexe 19 p. 217.

Tous techniciens ?

Première caractéristique : leur *technicité*. La plupart des métiers de demain se serviront des diverses applications de l'informatique et des technologies nouvelles, même les disciplines littéraires, culturelles ou artistiques. La conception assistée par ordinateur (CAO) a déjà pénétré dans de nombreux cabinets d'architectes par exemple. Un artiste comme Vasarely en a largement utilisé les possibilités. A cette « spécialisation de base » devront s'ajouter les connaissances et la technicité propres à chaque profession.

Allons-nous vers un monde d'*hyper-spécialistes* ? La tentation de répondre oui est grande. En réalité il faut regarder les professions de demain avec les yeux de l'avenir. Un avenir dans lequel le langage informatique sera devenu monnaie courante non seulement pour la formation professionnelle mais aussi pour la vie de tous les jours. Dès lors ce qui nous apparaît aujourd'hui comme un domaine réservé à des spécialistes sera banalisé et tombé dans le quotidien. Au XIXe siècle il aurait paru curieux de prédire qu'un siècle plus tard chacun devrait posséder les rudiments d'une langue étrangère.

L'hyper-spécialisation sera aussi limitée par l'*évolution rapide des professions*. C'est la deuxième caractéristique des métiers de demain. La loi de l'accélération du progrès technique ne devrait pas se démentir. Cette accélération continue (avec des mouvements brusques comme la révolution informatique) nous imposera des perfectionnements fréquents mais aussi des changements de profession. Il y a vingt ans, le « bon sujet » était celui qui exerçait le même métier dans la même entreprise toute sa vie durant. Aujourd'hui, l'expérience de plusieurs entreprises est considérée comme indispensable. Demain, il faudra avoir exercé plusieurs métiers pour rester à la page.

Troisième caractéristique évidente : le temps de formation pèsera de plus en plus lourd dans la vie active. Déjà les entreprises les plus performantes dépensent beaucoup plus que le 1 % légal pour former leur personnel. Investir dans la formation c'est préparer le produit de demain. Pour J. Fourastié l'avenir est aux 3 fois 30 ans. 30 ans de travail — *30 ans de formation* — 30 ans de loisirs. Au-delà de la formule brillante se dessine la nécessité de l'adaptation aux évolutions sans cesse plus rapides.

Accélération technologique et anticipation du futur

Dernière caractéristique, tous les métiers seront beaucoup plus tournés vers l'innovation et la recherche. Pour une raison simple : la vitesse de diffusion de l'information. Il deviendra impossible de survivre si l'on est à la traîne. La diffusion de l'information exacerbera les conditions de la concurrence et renforcera la nécessité du progrès technique permanent. En réalité certaines de ces observations ont déjà été évoquées dès avant les années 80. En général la société obéit à ses tendances lourdes. Il est frappant de voir de quelle manière nous avons refusé le progrès. Comment nous avons reculé devant les adaptations nécessaires aux métiers de demain, comment notre système de formation a été si lent à réagir, comment de nombreuses entreprises ont pu reculer les échéances du changement et vivre en circuit fermé. Comment nous avons d'une certaine manière fabriqué la crise économique ou l'avons rendue beaucoup plus douloureuse en négligeant l'avenir. Il faudra passer beaucoup plus de temps à anticiper le futur si l'on veut éviter les crises d'adaptation.

Les métiers déclassés

En effet il est à craindre que la création des emplois de demain ne puisse compenser la suppression des emplois d'aujourd'hui dépassés par le progrès technologique. Les Américains prévoient que le secteur de la production, celui des entreprises industrielles n'occuperont plus que 11 %

de la population active vers la fin des années 90. On doute fort que le secteur tertiaire et la création de nouveaux emplois puissent absorber la différence. Quelles seront les catégories sociales les plus touchées par ces évolutions brutales ? Les agriculteurs, on s'en doutait : leur nombre ne cesse de chuter au fil des années ; de plus en plus le métier d'agriculteur devra se diversifier (pluri-activité, protection de la nature, gestion des sites). Mais aussi les OS et le personnel d'exécution directement touchés par la mise en place de robots et de systèmes automatisés. On pense aussi qu'une bonne partie de l'encadrement, sous sa forme actuelle, pourrait peu à peu devenir inutile. Les cadres moyens risquent en effet d'être concurrencés par le raccourcissement des circuits d'information, par la programmation centralisée des tâches à effectuer, par l'autocontrôle des machines elles-mêmes capables de détecter leurs propres erreurs. Les plus « pessimistes » estiment également que la bureautique pourrait réduire considérablement le nombre des employés de bureau et même le secrétariat. Cela fait beaucoup de monde !

Dès lors deux attitudes sont possibles : retarder l'introduction des technologies pour maintenir l'emploi « coûte que coûte » ; ou à l'inverse accélérer leur diffusion en espérant faire repartir la croissance. Même dans cette seconde hypothèse, s'il y a création d'emplois nouveaux d'un côté, l'accélération de la croissance, et donc du progrès technologique, risque aussi d'accélérer la suppression d'emplois traditionnels. Difficile de sortir de ce cercle sans faire appel à d'autres solutions comme la formation mais aussi la réduction du temps de travail.

La réduction du temps de travail, une recette qui a fait ses preuves

La réduction du temps de travail pour un meilleur partage de l'emploi fait partie de ces solutions. Elle a pris diverses formes : réduction du temps de travail quotidien ou hebdomadaire, allongement des congés, de la scolarité, ou encore avancement de l'âge de la retraite. La réduction du temps de travail commence officiellement en 1840. Cette réduction ne s'est pas faite uniquement pour des raisons sociales ou par crainte du chômage[1]. Il était nécessaire de libérer un temps de plus en plus important pour permettre la *consommation* des biens produits en grand nombre et éviter les crises de surproduction. Il était tout aussi utile d'élargir le temps de repos et de formation du travailleur qui du même coup devenait plus efficace dans son travail. Il ne faut pas perdre de vue cette « dialectique » entre temps de travail et temps libre. Travail et temps libre ne s'opposent pas. Au contraire la grande loi du progrès est d'avoir permis de produire plus et mieux en moins de temps. On a peut-être trop tendance aujourd'hui à ne voir que les aspects négatifs sur la production de la réduction du temps de travail. Le temps libre peut aussi avoir des effets positifs sur le système productif.

Tant que la réduction du temps de travail s'opérait dans des phases d'expansion, il était possible tout à la fois de réduire le temps de travail et d'améliorer le pouvoir d'achat. Sans croissance, le problème est aujourd'hui beaucoup plus difficile. On ne peut à la fois maintenir le pouvoir d'achat, réduire le temps de travail et procéder à de nouveaux recrutements. La réduction du temps de travail ne doit pas peser sur les coûts des entreprises si l'on veut qu'elles embauchent. Aussi le partage de l'emploi suppose-t-il dans une certaine mesure le partage des salaires, leur maintien étant d'autant moins assuré que le salaire est plus fort. La réduction du temps de travail permettrait donc une certaine redistribution des revenus et un rétrécissement de leur hiérarchie. Cela va d'ailleurs dans le sens des aspirations des Français. Plus on a un salaire élevé plus on est prêt à céder un peu de son pouvoir d'achat contre plus de temps libre.

Cependant cette solution de la réduction globale du pou-

---

1. Aujourd'hui encore le chômage n'est qu'une forme « honteuse » de la réduction du temps de travail.

voir d'achat et de la redistribution des revenus trouve vite ses limites. Et rien ne dit que ceux qui s'y déclarent prêts le soient effectivement une fois au pied du mur.

Des réserves de productivité insoupçonnées

Cette solution doit s'accompagner d'une amélioration de l'efficacité productive de l'entreprise. On peut travailler moins à condition de travailler mieux. D'ailleurs la plupart des entreprises qui ont joué le jeu de la réduction du temps de travail ont vu leur productivité s'améliorer à salaire égal. Elles ont dû repenser leur processus de production et se sont aperçues qu'elles pouvaient s'organiser beaucoup plus efficacement. D'une certaine manière la réduction du temps de travail permet de sortir des routines et des habitudes et de faire preuve de l'imagination nécessaire à l'amélioration de la productivité.

Prenons un exemple : une entreprise américaine dans le secteur des assurances a cherché à savoir le temps de travail *réel* de ses employés. La durée légale était de 7 h 30 par jour, les responsables de cette entreprise se sont aperçus que le travail effectif n'était en réalité que de 4 heures environ. Ainsi tout en améliorant la productivité il aurait été possible d'abaisser le temps de travail à 4 heures. Mais cette efficacité a *un prix*. Pour l'employé, il s'agit d'un travail en continu, d'une concentration de tous les instants, de l'absence éventuelle de pauses, etc.

De même, certains accords conclus dans des entreprises françaises sur les 35 heures supposent le travail du week-end ou le travail de nuit afin de mieux rentabiliser les équipements. Pour éviter les licenciements et parfois créer des emplois, ces accords se multiplient : Kronenbourg, Dassault, CGCT, SAT ou BSN qui est même descendu jusqu'à 33 heures pour ses travailleurs postés.

Le risque pour l'avenir est que la réduction du temps de travail se paie par une dégradation des conditions de travail. Il est tentant en échange d'une moindre durée d'imposer des conditions plus dures. La CFDT souligne ce risque dans son livre *Les Dégâts du progrès*. D'autant que ce risque peut se cumuler avec celui de l'introduction des nouvelles technologies dont il n'est pas certain (cf. *supra*) qu'elles améliorent les conditions de travail.

Deuxième risque : à l'avenir et avec l'aide de l'État (contrats de solidarité), la réduction du temps de travail se poursuivra même en deçà des 35 heures, de manière différenciée suivant les entreprises. C'est justement le problème. Car les inégalités d'une entreprise à l'autre risquent de s'accentuer. Il y a toutes chances pour que les plus performantes et les plus protégées *cumulent tous les avantages* : faible durée de travail, bonnes conditions, nombreuses prestations sociales, formation assurée, comité d'entreprise richement doté, etc. Moins la législation imposera des règles uniformes pour l'ensemble des entreprises, plus les inégalités risquent de se creuser. De ces inégalités trop accentuées peuvent surgir rapidement des conflits.

Il faut souligner l'importance des contrats de solidarité pour éviter les écarts trop forts d'une entreprise à l'autre, d'un secteur à l'autre.

Le temps partiel : une solution optimale...

Mais avant de penser à une réduction plus ou moins imposée du temps de travail, ne devrait-on pas d'abord faciliter cette réduction pour ceux qui la désirent, quitte à perdre un peu de leur salaire ? C'est la question du temps partiel que l'on réduit souvent au mi-temps. Ce qui est un peu le tout ou rien. Il y a de multiples formules intermédiaires : travailler à 80 ou à 70 %, travailler un mois sur deux, travailler plus dans les périodes d'activité intense de l'entreprise, moins dans les périodes plus calmes. La France est un peu la lanterne rouge dans le développement du travail partiel. Il ne concerne que 7 % de la population active contre 13 % en moyenne dans la CEE, 18 % aux États-Unis et même 25 % dans les pays scandinaves. Ceci démontre notre rigidité dans l'organisation du travail ; une plus grande flexibilité nous serait pourtant bien utile en période de mutation. Nous avançons dans cette voie. Les réorganisations introduites par les nouvelles technologies sont une bonne occasion. Les entreprises s'aperçoivent qu'un travailleur à temps partiel peut être plus « rentable » qu'un plein-temps et que la présence continue n'est pas forcément signe d'efficacité. Certains salariés de leur côté y aspirent fortement. Une enquête du CREDOC montre qu'ils sont 20 % à être volontaires pour le partiel avec réduction proportionnelle de leur salaire. Pour mieux faire face à leurs charges familiales ou simplement parce qu'ils jugent que plus de temps libre est au fond plus « rentable » (psychologiquement mais aussi matériellement) qu'un salaire supérieur. Avec la crise, bon nombre de salariés ont dû s'interroger sur leur mode de vie. La question du rapport temps/argent et les arbitrages auxquels elle donne lieu est essentielle pour l'évolution sociale. Plus le temps libre s'accroît, et surtout plus il devient un temps actif et « productif », plus il amène à reconsidérer sous un jour nouveau la valeur du travail et du salaire.

Un obstacle important au développement du temps partiel est celui de son image. Il fait encore figure de travail au rabais, synonyme de faible qualification, ne permettant pas une insertion normale ou une promotion égale à ceux qui travaillent à temps complet. Ce n'est pas un hasard si le temps partiel est à dominante féminine. L'État, par diverses mesures (nouveau statut du travailleur à temps partiel, aides financières aux entreprises), tente de restaurer cette image après avoir été longtemps réticent.

... *à condition d'être un temps choisi*

A coup sûr le temps partiel se développera fortement à l'avenir [1]. Certains prévoient que, vers l'an 2000, 1 Américain sur 2 travaillera à temps partiel. Si donc nous nous

---

1. *Cf.* J.-P. Jallade, *L'Europe à temps partiel.*

tournons résolument vers l'avenir, c'est plutôt les risques d'une telle solution qu'il faut garder à l'esprit. Que l'on permette à chacun de choisir entre plus de travail ou plus de temps libre, de personnaliser ses horaires et en définitive de choisir son mode de vie est une chose positive. Il faut craindre que les entreprises, compte tenu des facilités qui leur sont offertes, ne prennent trop goût au temps partiel. Et qu'au bout du compte le temps partiel ne soit pas un temps librement choisi mais imposé par l'entreprise. Que le plein-temps ne soit plus « réservé » qu'à une minorité de privilégiés, individus hyperproductifs et très qualifiés.

Il faut aussi craindre un trop grand émiettement des statuts et conditions de travail. Éviter les différenciations qui deviendraient inégalités si l'on distinguait entre les « bons » travailleurs (le plein ou le quasi-plein-temps) et les travailleurs de deuxième zone dont la condition serait par trop différente. L'entreprise est avant tout une communauté. Son efficacité dépend aussi de son unité et de la reconnaissance pleine et entière du rôle que chacun y joue.

On est pour l'instant assez loin de ces dangers, mais ce sont sûrement des écueils à éviter pour l'avenir.

Politique du travail et politique du temps libre

En général les politiques visant à réduire le temps de travail ou à promouvoir le temps partiel oublient une chose importante : *le temps libre.* Plus les salariés aspireront au temps libre, plus ils seront prêts à réduire leur temps de travail et leurs revenus. On considère que cette aspiration va de soi, que chacun désire plus de loisirs. C'est une grave erreur. Encore une fois on confond la déclaration d'intention et la réalité du comportement. Combien sont-ils ceux qui ont attendu toute leur vie durant la retraite et qui, une fois le moment venu, se trouvent désemparés et refusent de quitter leurs habitudes et leur travail ? Combien sont-ils ceux qui ne voient pas ce qu'ils feraient d'un surcroît de temps libre ?

117

En réalité une bonne politique de la réduction du temps de travail est aussi et avant tout une politique de valorisation du temps libre. Sinon cette réduction risque de se faire à marche forcée, de provoquer des frustrations chez ceux qui ont consacré l'essentiel de leur vie à leur travail, d'entraîner des inégalités d'un type nouveau entre ceux qui savent utiliser et « s'enrichir » de leur temps libre et ceux pour qui il représentera une dépossession, de la solitude en plus, de l'inutilité sociale. Nous reviendrons sur cette question car elle est évidemment centrale pour l'évolution des modes de vie. Plus le temps de travail se réduira, plus se posera la question de l'utilisation du temps libéré. Notre société s'est polarisée sur l'étude du travail, elle a un peu délaissé l'étude des différents aspects du temps libre comme s'il faisait peur. Or, la vraie question du XXIe siècle est moins de savoir comment nous travaillerons que ce que nous ferons de notre temps. En d'autres termes, l'évolution sociale des valeurs comme des activités dépendra plus de notre conception du temps que d'un temps préorganisé à travers l'institution travail.

Minorité laborieuse contre majorité oisive?

Les incertitudes et *l'impréparation* face au temps libre redonnent paradoxalement une *importance nouvelle* au travail. C'est pourquoi nous parlions d'une dialectique travail/temps libre qui est l'enjeu du futur. L'éclatement des valeurs, des pratiques et des comportements que l'on peut prévoir avec l'extension du temps libre renforcera l'utilité de quelques institutions fortes, de valeurs communes, de lieux de vie collective. Le travail restera encore pour longtemps une référence, un lieu d'identité et de socialisation. C'est pourquoi il serait dangereux d'en exclure une part trop importante de la population réduite au chômage et à l'oisiveté. Avec les progrès technologiques et le développement de l'automatisation, on pourrait très bien imaginer une société où seuls 10 à 20 % de la population travailleraient, le restant étant condamné à une retraite dorée. Cette société *duale* que nous vivons déjà d'une certaine manière avec l'exclusion des chômeurs et de toute une population potentiellement active (jeunes, préretraités, non-inscrits à l'ANPE, etc.) serait une société brisée et hautement conflictuelle. Il faut au contraire réduire le temps de travail pour en donner à tous ceux qui le souhaitent et qui veulent partager l'effort productif, moteur essentiel du développement. Il ne faut pas que la redistribution sociale ou que les autres formes de travail se substituent au travail dans l'économie marchande. Nous voyons déjà les limites d'une telle société duale et les tensions qu'elle engendre. Après la chasse aux immigrés, pourquoi pas la chasse aux chômeurs, ou la chasse aux fonctionnaires ?

Plus la société éclatera en mille et une directions, plus il sera indispensable de garder des activités et des valeurs communes. Le droit au travail en est une garantie. Même réduit à la portion congrue, il conserve ses vertus structurantes dans une société où les évolutions sont sur ce sujet moins rapides qu'on ne le croit.

Si l'économie marchande reste, comme nous le croyons, un moteur essentiel du développement économique et social, il importe que le plus grand nombre possible puisse y participer. Ne serait-ce que pour en discuter les orientations, l'infléchir, peser sur les décisions. Par-delà les raisons sociales, le droit à l'emploi reste un enjeu essentiel pour la démocratie.

Un service public sans État ?

L'État sur la sellette

L'importance de l'État n'a cessé de croître avec le développement de l'industrialisation. Aujourd'hui la redistribution fiscale et sociale n'est plus très loin de *la moitié* de la richesse nationale produite chaque année. Seul considéré

119

par certains comme fatidique au-delà duquel nous basculerions vers une société «collectiviste». Certains n'hésitent pas à penser que cette trop forte emprise de l'État est pour partie responsable de la crise que nous traversons. Trop de fonctionnaires, trop d'administration, trop de garanties collectives, etc. Ce faisant on oublie un peu vite la richesse créée par l'État et son effet d'entraînement sur le secteur marchand. Quoi qu'il en soit l'État semble avoir trouvé ses limites. Et l'on peut avancer (avec prudence!) que la société future pourrait se caractériser par moins d'État. C'est *apparemment*, selon un sondage [1] de la Cofremca, le vœu d'une forte majorité de Français (68 %) qui estiment «que l'on a trop développé la protection collective, qu'il y a maintenant trop de gens qui profitent de l'argent public, trop de chômeurs qui pourraient travailler, trop de faux malades, trop de fonctionnaires payés à ne rien faire». Facile à dire!

Moins d'État c'est aussi changer de société. Plus difficilement encore puisqu'il faut aller à l'inverse d'une tendance naturelle et revenir sur des habitudes acquises. Que le temps libre devienne nettement supérieur au temps de travail, que l'État s'allège au lieu de se renforcer, voilà sans doute deux des plus importants bouleversements que nous réserve l'avenir.

Une demande croissante

Le paradoxe veut qu'au moment où l'on songe à limiter l'importance de l'État, on n'en ait jamais eu autant besoin. La faute à la crise bien sûr car elle provoque une très forte augmentation de la demande sociale : allocations chômage, aides en faveur des jeunes, aides aux restructurations industrielles, etc. Mais le plus inquiétant n'est pas là. Le plus préoccupant tient à la nature de la demande et aux formes

---

1. D'autres sondages avec des questions similaires obtiennent des réponses sensiblement différentes. Il faut donc interpréter ces résultats avec une certaine prudence.

nouvelles de la consommation de l'avenir. Les besoins de demain porteront essentiellement sur des services assurés aujourd'hui par l'État ou par des institutions publiques. L'exemple le plus évident est celui de la santé et des soins pour le corps dont l'expansion est vertigineuse. Ce sera également le cas de l'information, de celui de la formation et de l'éducation, de la culture, de la protection de l'environnement ou encore des équipements publics de loisir. Tout domaine dans lequel l'État est le prestataire unique ou tout au moins un interlocuteur important. Si l'on suit cette logique des besoins, la demande d'État pourrait alors constituer *l'essentiel* de la demande. Si l'on refuse un modèle étatiste, il faut alors trouver de nouveaux moyens pour répondre à ces demandes non satisfaites qui ne feront qu'amplifier. Ne pouvoir répondre à ces besoins c'est du travail et des emplois en moins, de l'insatisfaction en plus. N'avoir pas su prévoir l'évolution de cette demande vers des consommations «plus immatérielles» est à n'en pas douter une des raisons de la crise. Si la réponse par l'État semble inadaptée on pense aussitôt au marché. Il existe actuellement un très fort courant d'opinion pour prôner le recours au marché et la privatisation d'activités assurées principalement par le service public. Mais cela relève plus d'un réflexe «anti-État» que d'une véritable volonté de privatisation. Le débat sur l'enseignement l'a bien montré. On veut la liberté du privé mais avec la garantie et surtout le financement de l'État. Au reste il serait utopique de croire que le privé puisse remplacer au pied levé le désengagement de l'État dans des domaines aussi essentiels. Utopique et peu souhaitable car la logique du marché laisserait de côté des secteurs jugés peu rentables, pourtant indispensables à une évolution sociale équilibrée.

Les solutions de l'avenir passent sans doute par deux transformations fondamentales : l'évolution de la fonction publique et la création d'un secteur qui sans relever de l'État ou du marché «marchand» n'en soit pas moins un service public.

Fonction publique : se réformer soi-même

Parler d'évolution de la fonction publique fait toujours un peu sourire. Plus on en parle, plus on a un sentiment d'immobilisme. Il est toujours difficile de demander à ceux qui sont responsables des évolutions et des réformes de commencer par évoluer eux-mêmes.

Le processus de décentralisation devrait imposer ces évolutions. En est-on si sûr ? N'y a-t-il pas un risque que le renforcement nécessaire de l'administration locale ne double l'administration centrale ? Qu'il n'y ait pas transfert du central vers le local mais simple multiplication des structures... et des fonctionnaires. On aboutirait à l'inverse du résultat recherché. Mais augmenter la mobilité dans la fonction publique n'est pas si facile. En admettant que l'on y parvienne assez vite, reste posée la question de l'efficacité du service public. Si l'essentiel de la gestion du service public se fait au niveau des collectivités locales, le rôle de l'administration centrale devra fortement évoluer. Au lieu de gérer et d'administrer au sens classique, l'administration devra aider, favoriser les expériences nouvelles et les initiatives, elle devra être fondamentalement tournée vers l'innovation et donc être *innovatrice elle-même*. C'est le passage d'une administration de gestion à une administration de mission. On ne peut prêcher l'efficacité, la modernité et l'innovation aux autres sans être soi-même aux avant-postes.

Il est à prévoir que ces profondes évolutions internes du service public qui concernent une part très importante de la population active ne se feront pas sans heurts. Développement de la mobililité, nécessité de recyclage, réduction des corporatismes facteurs d'inertie, recrutement des spécialistes nécessaires aux fonctions d'une administration moderne, multiplication des passages public-privé et privé-public, etc. Les fonctionnaires eux aussi devront apprendre à changer de métier. Si le travail doit évoluer d'ici l'an

2000, on ne pourra laisser de côté des millions de travailleurs qui sont censés favoriser le changement et baliser les routes de l'avenir. Ce serait un nouveau risque de société duale dont, notre sondage [1] le montre bien, les Français sont déjà bien conscients. Il ne s'agit pas ici seulement de privilèges comme la garantie de l'emploi qui peuvent paraître exorbitants compte tenu de la conjoncture. Mais de la conviction que le mouvement vers l'avenir doit aussi (et d'abord ?) concerner le service public. Le changement sera d'autant plus dur que ce dernier a pu rester à l'abri des convulsions qui agitent les entreprises.

Le service public par le public ?

Un surcroît d'efficacité sociale du service public ne suffira pas à répondre à la demande sociale de l'avenir. Si l'on refuse le transfert intégral au marché, ce sera aux individus eux-mêmes de s'organiser pour prendre en charge certaines fonctions du service public. Cette auto-organisation existe déjà au sein des associations, qui remplissent des missions *d'utilité sociale*, véritable service public. De nombreuses collectivités locales s'appuient déjà sur le réseau associatif pour développer des missions d'intérêt général. Que seraient les secteurs de la santé, du loisir, de la culture ou de l'éducation sans l'intervention des associations ? Certains pensent qu'il faudrait à l'avenir pousser plus loin ce rôle de la vie associative qui peut se révéler tout aussi efficace et moins onéreux, tout en étant un bon moyen de promotion pour les associations. *Moins d'État et plus d'associations ?* Cela pourrait être un des visages de l'avenir. A condition toutefois de bien définir le sens de l'utilité sociale, de ne pas provoquer un désengagement trop facile de l'État de missions essentielles, de revoir le système de financement et de subventions accordés aux associations.

---

1. Voir Annexe 21 p. 223.

Le temps d'utilité sociale

L'utilité sociale ne peut pas se définir de manière abstraite. Les besoins sociaux d'aujourd'hui ne seront pas les mêmes demain, ils sont différents à Annecy ou à Marseille. Parce qu'elles sont l'émanation de la population locale, parce qu'elles disposent en principe d'une grande souplesse d'adaptation, les associations sont souvent les mieux placées pour détecter ces besoins, agir de manière préventive, trouver les solutions les plus appropriées. Mais bien entendu, à partir du moment où elles répondent à une demande de service public, où elles font appel à un financement public, elles doivent accepter le jeu de la convention avec les pouvoirs publics et la contractualisation de leur action. C'est l'objet des contrats pluriannuels d'utilité sociale qui commencent à se mettre en place. Ainsi l'utilité sociale, nouvelle forme de service public, pourrait-elle résulter de *la rencontre et de la libre négociation* entre les groupes sociaux demandeurs, les associations qui les représentent et les pouvoirs publics garants de l'intérêt général. Une sorte de *service public à la carte* reposant sur la libre participation de chacun. C'est là que le bât blesse. Quand on connaît le faible taux de participation à la vie associative en France. Surtout s'il s'agit d'une participation active. C'est pourquoi il faut repenser le système de financement des associations pour favoriser une plus large participation. L'allégement de l'action de l'État proprement dit et une sélectivité accrue des aides publiques permettraient un meilleur financement des associations d'utilité sociale. La création d'un fonds national et la possibilité de déduire de sa déclaration fiscale les dons à ces associations apporteraient un financement complémentaire. Enfin, les associations devraient pouvoir faire payer (au prix coûtant) leurs prestations à ceux qui n'en sont pas membres. Ceci permettrait d'améliorer leur fonctionnement et surtout d'indemniser ceux qui y consacrent temps et énergie.

On parle beaucoup de désaffection des bénévoles. Il serait peut-être légitime d'apporter une compensation à ceux qui tout en assurant un service public font profiter de leur compétence et de leur qualification. La vie associative ne se suffit plus de la bonne volonté, elle doit de plus en plus faire appel à des techniques qui requièrent savoir-faire et qualifications. Au total, chacun, en fonction de ses goûts et possibilités, pourrait participer à ces missions d'utilité sociale-service public et y trouver une compensation financière.

Le double emploi de l'avenir

On le voit l'avenir pourrait ainsi nous réserver non pas un emploi, mais *deux emplois*. L'un dans le secteur marchand, l'autre dans le secteur de l'utilité sociale. Bien entendu le deuxième « emploi » serait entièrement facultatif. Au-delà du fonctionnement du service public, cette voie possible de l'avenir serait intéressante dans le mode de distribution des revenus. Avec la réduction du temps de travail et son automatisation, le travail ne pourra plus être le critère unique. Plutôt que de choisir l'arbitraire ou la multiplication des allocations en tout genre, voire même l'impôt négatif, le « travail » social pourrait ainsi servir de base à une part de la distribution des revenus. Dans cette optique les chômeurs devraient être les premiers à pouvoir s'investir dans le temps d'utilité sociale pour un emploi partiel ou à plein temps. Les pouvoirs publics ont déjà pris certaines initiatives en ce sens avec la création d'emplois d'utilité collective. Cette logique pourrait être développée à l'avenir sans pour autant accroître les charges de l'État. La réduction des charges du chômage et l'extension du service public venant largement compenser les indemnités du temps d'utilité sociale. Car à l'autre bout de la chaîne il faut voir les effets induits par le développement de ce temps.

125

Utilité sociale, utilité économique

L'auto-organisation au sein d'associations peut être une source de commandes importantes pour le secteur privé. Pour vivre et se développer les associations achètent du matériel, occupent des locaux, provoquent la création d'infrastructures. Elles ont un effet positif sur la demande finale. Nombreux sont ceux qui viennent s'initier dans les associations avant de procéder à un achat. Les «clubs» d'informatique dont nous avons parlé sont un ressort essentiel pour la vente de micro-ordinateurs en France. On ne le dira jamais assez : le travail entraîne le travail et provoque la création de nouveaux emplois. Les activités d'utilité sociale induisent une demande qui au bout de la chaîne crée des emplois.

Le temps d'utilité sociale est aussi un temps de formation et d'apprentissage volontaire. Assurer un service public dans le domaine de la formation par exemple suppose de se former soi-même. L'augmentation de nos connaissances, la mise en valeur de « la ressource humaine » est un levier fondamental du développement économique et social. Le progrès de demain, qui demandera une plus grande polyvalence et de nombreuses facultés d'adaptation, dépendra de la somme de ces formations accumulées dans les différentes sphères, celle du travail proprement dit ou celle des activités d'utilité sociale.

Enfin le temps d'utilité sociale pourrait aussi renforcer la socialisation. Le service public est par définition une activité d'échanges et de contacts. D'ailleurs la première motivation de ceux qui adhèrent à une association est de renforcer leurs relations, de tisser un réseau d'échanges avec ceux qui partagent les mêmes préoccupations. L'isolement actuel qui risque d'être amplifié avec la diminution du temps de travail ou les nouvelles formes de ce travail (ex. le télétravail) nécessitera des compensations et des occasions de se retrouver en groupe, de faire de nouvelles rencontres.

Le service public est une occasion de socialisation à laquelle de nombreuses personnes [1] seraient prêtes à participer si on leur donnait le «mode d'emploi», si les portes étaient un peu plus ouvertes. Sans compter que cette participation à l'utilité sociale donne à chacun un peu de pouvoir pour décider de l'avenir, pour choisir les besoins auxquels il faut répondre en priorité, pour influer sur les décisions locales qui auront une importance grandissante avec la marche de la décentralisation.

Fonctionnaires et agents du service public

«Que chacun puisse passer un certain temps à être fonctionnaire, voilà l'idéal», disait C. Gruson. Cet idéal pourrait rencontrer la réalité de l'avenir. Plus les demandes de service public se renforceront, plus il sera indispensable que chacun y participe à sa manière. Comme fonctionnaire à part entière ou comme acteur du temps d'utilité sociale au travers des associations.

Certains imaginent mal que l'on puisse «ressusciter» l'esprit de service public et y faire participer une majorité de la population. Dans la mesure où à l'avenir la demande individuelle sera aussi une demande collective, où le besoin de socialisation se fera sentir de manière plus aiguë, où une part essentielle de l'avenir des modes de vie passera par les décisions locales, il n'est pas sûr que le temps d'utilité sociale ne devienne pas aussi important que le temps de travail lui-même. Après tout c'est aussi une forme de travail essentielle pour le développement futur où l'économique et le social seront de plus en plus liés.

---

1. Un sondage récent auprès des personnes de plus de 60 ans montre que pour 80 % d'entre elles «il est très important de se sentir utile à la collectivité».

Économie sociale, économie de pointe?

Trait d'union entre le passé et l'avenir

Il ne faut pas confondre utilité sociale et économie sociale même si certains traits les rapprochent. L'économie sociale ne se fixe pas forcément des missions de service public, elle ne fait pas systématiquement appel à un financement d'État, elle intervient sur des secteurs et sous des formes très disparates. Depuis la petite coopérative agricole jusqu'à la grande mutuelle en passant par la myriade de SCOP[1] ou d'associations productrices de biens et services. L'économie sociale a déjà une très longue histoire derrière elle; elle est aussi vieille que le mouvement ouvrier lui-même. Aujourd'hui elle est à la fois très ancienne et porteuse d'avenir un peu à la manière d'un rêve qui met des siècles pour devenir une réalité reconnue. Les pouvoirs publics lui ont redonné une certaine actualité et un sérieux coup de pouce en créant un secrétariat d'État à l'Économie sociale et un institut chargé de promouvoir son développement. Il faut reconnaître que le poids économique de l'économie sociale (tous secteurs confondus) est loin d'être négligeable. Elle représente globalement *plus de 1 million de salariés, 10 millions d'adhérents à des associations, 30 millions de mutualistes, 3,5 millions de coopérateurs!* Ce n'est pas rien.

Certaines entreprises d'économie sociale représentent un dynamisme et une force d'innovation économique et sociale remarquables. C'est à celles-ci que nous nous attacherons de préférence en sachant qu'elles ne sont qu'une partie du vaste ensemble qu'est l'économie sociale.

---

1. SCOP : Société coopérative ouvrière de production.

Le travail « autrement » [1]

C'est moins le poids économique qui nous intéresse ici qu'une certaine conception de la production économique et sociale que développe l'économie sociale. Certaines entreprises d'économie sociale se flattent de travailler « autrement », de produire « autrement », de produire « autre chose ». Ce qui importe c'est moins la rentabilité immédiate que la qualité des conditions de travail ou le service qui peut être rendu au public. Autrement dit, en échange de salaires parfois peu élevés, on trouve un milieu de travail « convivial », une qualité dans les échanges qui ne se bornent pas au strict travail, la possibilité de travailler à son rythme, le sentiment de bien personnaliser son travail, la possibilité de développer des idées parfois un peu folles. C'est parfois une économie *sans complexes,* où la qualité de la vie, le sentiment de faire autre chose sont les premières gratifications. La gratification vient aussi de la reconnaissance du public ou du client qui apprécie d'être traité autrement et de bénéficier d'un type de service qu'il ne trouverait ni dans le public, ni dans le privé.

Mais ce qui prime c'est l'impression de choisir vraiment son travail, d'en être responsable, de créer un peu son propre emploi tout en vivant une aventure collective. Le travail ne ressemble plus à un travail au sens traditionnel. Il ne vous est plus imposé d'en haut avec son cortège de hiérarchies, de stratégies de pouvoir et de domination, de relations plus ou moins hypocrites, de guerres des intérêts individuels. Dans ces conditions, il ressemble plus à une activité de temps libre ou à *un loisir professionnalisé.* La frontière entre travail et temps libre devient floue, c'est une autre relation au travail qui s'établit dans certaines entreprises de ce secteur. On comprend que nombreux soient les jeunes qui sont attirés par cette forme d'activité. Elle corres-

---

1. Titre du livre de G. Roustang, Dunod, 1982.

129

pond beaucoup mieux aux valeurs ambiantes de liberté, d'autonomie, de développement personnel, de réalisation de soi qui sont déjà celles des jeunes d'aujourd'hui et donc les valeurs dominantes de demain. Car il est évident qu'avec la croissance du temps libre, de nouvelles valeurs libertaires prennent le pas et déteignent sur la vie de travail. Ce type de travail permet à certains de mieux vivre en accord avec eux-mêmes et d'échapper au phénomène de double personnalité que nous connaissons bien : un visage pour le travail, un autre en dehors. C'est précisément ce nouvel accord entre le travail et les autres temps de la vie sociale qui nous paraît porteur d'avenir si l'on veut échapper à la schizophrénie latente qui caractérise souvent la relation avec le travail.

Le marketing du futur

Mais attention ! On aurait tort de reléguer toute l'économie sociale au rang des rêveries post-soixante-huitardes (la plupart des jeunes qui y travaillent n'ont pas connu 68 !) ou à des utopies bien sympathiques mais qui ne sont pas de mise dans le monde hyper-concurrentiel d'aujourd'hui.

On aurait tort aussi de faire de l'économie sociale une sorte de « fourre-tout » où viendraient s'agglutiner les exclus de l'économie marchande, les sans-grade, les moins performants, les rêveurs en un mot. Car ceux-là rêvent de l'avenir au point d'en faire une réalité nouvelle.

Certes, pour beaucoup les résultats importent moins que la manière d'y parvenir. Et alors ? N'est-ce pas une manière d'inventer un nouveau mode de vie, d'être plus disponible, plus à l'écoute du monde et de ses évolutions ?

Certes, ils sont nombreux à privilégier la qualité quitte à perdre en rentabilité. C'est le cas par exemple des cabinets médicaux qui pratiquent la « médecine lente ». Aujourd'hui, face au succès que certaines entreprises de ce type remportent, on se demande s'ils ne préfigurent pas l'économie de demain. S'ils ne sont pas en train d'inventer une nouvelle économie plus fondée sur la relation directe [1], sur la prise en compte globale de la personne et non pas seulement du client, s'ils ne sont pas beaucoup plus attentifs à l'« épaisseur » de la demande sociale, s'ils ne sont pas beaucoup plus aptes que d'autres à déceler les vrais besoins, s'ils ne font pas du marketing sans le savoir, si leur marketing à eux n'est pas le futur. Certes, il en coûte parfois cher d'être trop en avance. Mais à bien regarder ces nouveaux entrepreneurs, beaucoup ont incontestablement la sensibilité du futur.

Ceux qui sèment et ceux qui récoltent

Certes ils sont nombreux à se lancer sur des créneaux impossibles où on ne leur prête aucune chance. Qui aurait parié un dollar sur l'avenir des boutiques de gestion ? Qui aurait parié qu'une minuscule association déciderait de fonder le « Club » en pensant que son envie de passer des vacances « différentes » pourrait être un jour partagée par des millions et des millions de personnes tout autour du monde ?

L'origine des magasins FNAC ou du journal *Libération* est assez similaire, on sait quelle grande aventure les attendait.

Pour une part les entreprises d'économie sociale sont de vrais *défricheurs de l'avenir*. On le sait peu. Car nombreux sont ceux qui échouent mais dont les idées poursuivent leur chemin et sont récupérées un jour ou l'autre par des gestionnaires plus avertis. Nombreux sont ceux qui réussissent mais qui refusent de dépasser le seuil critique de l'industrialisation dans lequel beaucoup voient, à tort ou à raison, la négation de leur projet initial. Mais l'avenir est-il à l'industrialisation de l'économie et des services ? Pour une part oui, pour une autre part certainement non. C'est pourquoi ils risquent à l'avenir de faire beaucoup d'adeptes. S'ils

1. *Cf.* M. Obaldia, *L'Économie désargentée, économie de la relation*, Privat, Toulouse, 1983.

ne peuvent se développer sur une grande échelle, il faut qu'ils soient très nombreux pour répondre à la demande multiforme qu'ils contribuent à susciter. C'est un autre intérêt de ces entrepreneurs, ils agissent en terrain vierge, là où apparemment il n'y a pas de demande solvable. Et, précisément, ils font naître une nouvelle demande. Or, bien des économistes s'accordent pour dire que le *renouvellement de la demande* est une condition indispensable à la reprise de la croissance. Que nous avons trop longtemps vécu sur des demandes de consommation traditionnelle, que ces marchés-là sont à bout de souffle. Même si le secteur de l'économie sociale ne peut en lui-même répondre à cette demande, les autres secteurs économiques en profitent. En ce sens ce sont aussi des *déclencheurs* d'avenir.

Un nouveau jeu : le travail

On aurait tort aussi de considérer systématiquement tous les travailleurs de l'économie sociale comme des dilettantes. Choisir son travail et créer son emploi peut être l'effet d'une passion. Ceux qui la possèdent, quel que soit leur secteur, ont alors toute latitude pour s'y adonner au gré de leur inspiration, jour et nuit. On voit ainsi des jeunes se lancer à corps perdu dans leur travail et tout y sacrifier. Le travail pris comme un jeu, comme un loisir préféré, peut alors donner les meilleurs des résultats. Certains entrepreneurs en France sont un peu à l'image des *Yups*[1] californiens. Sauf que les Américains trouvent plus facilement des relais financiers et logistiques pour mener à bien leurs opérations. On y est moins timoré face au risque de l'avenir. On joue « le jeu » plus facilement. Car c'est d'un jeu qu'il s'agit dont la réussite est « l'enjeu ». En France, faute de mise de départ et de soutien des banques, on se tourne désespérément vers l'État. Mais là encore l'avenir devrait porter chance aux entreprises de ce secteur. Car une demande plus

---

1. Young, urban professionnals.

orientée vers des services, des micro-technologies assez peu onéreuses permettront de leur assurer le viatique de départ.

Du reste les entreprises d'économie sociale sont chaque jour plus nombreuses. La crise et le chômage n'y sont pas pour rien. Ils poussent les jeunes vers des voies nouvelles, les obligent à faire preuve d'imagination. C'est une de leurs vertus. Dans l'Oise, par exemple, la restauration des installations hydrauliques d'un moulin a permis de produire de l'électricité à bon compte et d'installer toute une série d'activités artisanales. De ce micro-projet en apparence dérisoire est née une association qui reproduit cette expérience tout au long de la vallée de l'Oise et de celle de l'Aisne. Aujourd'hui des quatre coins de la France, des propriétaires d'installations hydrauliques font appel à l'expérience et au savoir-faire de l'association. Des contrats importants avec EDF ont été signés.

Dans un genre très différent, à Orléans, c'est un restaurant « coopératif » qui s'est ouvert proposant en sus du repas une animation permanente et des spectacles. Les cafés-théâtres, aujourd'hui rentrés dans les moeurs, se sont créés à partir de ce genre d'initiative et ont permis de renouveler le genre théâtral.

Les projets peuvent être parfois très « pointus » et faire appel à des technologies d'avant-garde. A Lille par exemple, une SCOP s'est mis en tête de conjuguer imprimerie et informatique. La mise en place d'une imprimante au laser (il en existe 5 en France) capable de produire 20 000 signes/minute a permis d'accélérer les sorties d'ordinateurs et de rendre ainsi l'entreprise très performante.

Une économie en réseau

On a évoqué le succès des boutiques de gestion. Leur rôle est fondamental pour l'impulsion et la coordination de ces projets. Elles apportent aussi ce qui manque le plus à ces projets imaginatifs : le sens de la rigueur, les outils d'une gestion moderne. Ainsi s'est créé un réseau d'entraide et d'échange d'expériences entre les entreprises sociales qui bénéficie à tous.

Ce n'est plus seulement la relation au travail qui change, c'est un autre regard posé sur l'économie, de nouvelles lois pour assurer le développement. Ce qui n'exclut pas l'efficacité comme on l'a vu. Au contraire, l'efficacité sociale est une condition de la réussite économique. Les pouvoirs publics pressentent bien l'importance de ce secteur pour gagner la bataille de l'avenir. Ils aident financièrement les projets qui leur paraissent les plus innovateurs et participent à la création d'emplois nouveaux, d'emplois d'initiative locale notamment. Ils cherchent aussi à promouvoir les réseaux de formation et d'information. Car ils se sont rendu compte que les réseaux formés par les entreprises d'économie sociale étaient une de ses grandes forces. Entre travailleurs de l'économie sociale on se comprend vite, l'information circule, les projets s'épaulent les uns les autres. S'appuyer sur ces réseaux est d'autant plus utile qu'ils sont profondément enracinés dans la vie locale. Qu'ils peuvent servir à promouvoir de nouveaux produits ou de nouvelles techniques auprès d'un vaste public. Que le contact entre la population locale et ce type d'entreprise va de soi. Que c'est souvent toute une population qui se sent impliquée par un projet et qui est prête à le soutenir. Faut-il rappeler le cas de Lip ou de ces entreprises en faillite qui retrouvent un nouveau dynamisme grâce au milieu local et à sa participation dans des formules inspirées par l'économie sociale ?

Les aides qui étouffent

L'intervention des pouvoirs publics est bien sûr décisive dans l'aide à l'innovation, dans la diffusion des expériences. Mais elle a des limites et il est même souhaitable qu'elle ait des limites précises.

Il pourrait être tentant de confondre économie sociale et économie du secteur public. De faire de *l'économie sociale une économie socialisée*. De subventionner systématiquement ce qui ressemble à une innovation ou à une création d'emplois. En période de fort chômage il est tentant de chercher à subventionner des emplois plutôt que des chômeurs, de transformer l'économie sociale en économie d'assistance et d'assistés. Il n'est pas sûr qu'avec la décentralisation des pouvoirs et des ressources les collectivités locales sachent toujours y résister. Ce ne serait pas un bon service. On tomberait une fois de plus dans une société duale opposant l'économie productive de marché et une économie vivant de la redistribution sociale. Non seulement cela pénaliserait le secteur privé avec ses conséquences sur l'emploi mais aussi les entreprises sociales performantes chargées de payer pour les autres et ne bénéficiant plus des marges indispensables à l'innovation. De l'habile dosage des aides publiques dépendent l'avenir de ce secteur et en fin de compte le dynamisme de l'économie entière.

Quand les « *marginaux ouvrent le chemin* »

L'économie sociale n'est pas une panacée. Ni pour aujourd'hui, ni pour demain, encore que pour après-demain... Ne regardons pas si loin. On peut même dire parfois que la réussite de certaines entreprises de ce secteur consiste à passer au stade de l'industrialisation et de la grande société privée. D'ailleurs de nombreuses SARL sont d'anciennes associations ou des SCOP reconverties. Mais il ne faudrait pas réduire certaines entreprises d'économie sociale au rôle de banc d'essai pour de nouveaux produits ou services ou à un simple lieu d'expérimentation sociale. Pour l'avenir, par bien des aspects, l'économie sociale a valeur d'exemple. Elle démontre qu'une nouvelle relation au travail est possible sans préjudice pour l'efficacité productive, que les innovations économiques de demain reposeront de plus en plus sur l'innovation sociale et sur l'aptitude à générer une demande sociale nouvelle. Demande qui ne passera plus seulement par l'achat d'un produit quelconque mais aussi par un service plus global susceptible d'apporter un contenu culturel (au sens large) et une relation plus personnalisée avec le consommateur. Elle démontre que des objectifs de qualité et de proximité avec le milieu local sont les clés de l'économie de demain. Compte tenu de son activité plus orientée vers les services elle devrait être assez fortement créatrice d'emplois, plus que dans l'industrie, toutes proportions gardées. Sans être l'économie de demain, elle devrait en préfigurer un bon nombre de caractéristiques.

Le travail domestique : de l'artisanat à la haute performance

Travailler sans le savoir

L'économie domestique existe. Qui l'eût cru ? On semblait l'avoir oubliée à une époque où seul le travail marchand avait officiellement une valeur digne de la reconnaissance sociale. Pourtant, étymologiquement, l'économie domestique c'est l'économie à l'« état pur ». Domestique = domus = oikos en grec, qui a donné « économie ». Dominée par les femmes, rétive à la mesure et au calcul économique selon les saintes lois de la comptabilité nationale, on redécouvre avec la crise son importance dans le développement économique général et social. Selon les diverses méthodes de calcul de l'INSEE, l'économie domestique représente entre 30 et 70 % du PNB. Comme il est difficile d'expliquer certains progrès dans les niveaux de vie alors que la croissance stagne, on a pensé qu'avec l'accroissement du chômage et l'augmentation du temps libre il y avait un transfert des activités marchandes vers des activités non marchandes. L'économie domestique serait un lot de consolation et un substitut au manque à gagner. En réalité il s'agit plus d'une hypothèse que d'une certitude. Économie domestique et économie marchande sont très liées. Avant d'aménager sa maison, il faut aller faire un tour dans la grande surface qui propose les outillages dernier cri. Avant de jardiner on achète la tondeuse à gazon ou mieux encore le motoculteur. Souvent l'achat reste sans lendemain, on a sacrifié à une mode, on recule devant l'effort. Demain l'ordinateur domestique permettra d'accomplir des nouvelles tâches ou d'alléger encore les anciennes. On objectera que plus on a de temps (libre) plus on peut produire pour soi (autoproduction). C'est vrai mais il est non moins vrai que plus on travaille, plus on a de revenus et plus on peut acheter des appareils sophistiqués capables de remplir de nombreux services dans l'univers domestique. Heureusement les motivations individuelles ne se réduisent pas à ce strict calcul économique. Pour beaucoup l'intérêt du travail à la maison provient du temps passé, de l'attention apportée, de la possibilité de créer « avec ses mains ». A condition que la vaisselle se fasse toute seule, que le repas soit prêt, que les enfants jouent tout seuls devant la télévision !

On n'en finirait pas de cette dialectique entre le temps et les objets. Plus de temps pour soi mais « en même temps » plus d'objets pour gagner du temps qui eux-mêmes grignotent notre temps... Illich a mis en évidence ce cercle infernal. Notre société redécouvre périodiquement ces rapports conflictuels entre le temps, la production et l'économie. L'idéal serait évidemment que chacun puisse allouer son temps comme bon lui semble. Que chacun puisse faire un libre arbitrage entre temps et revenu et définisse un équilibre optimal pour lui si toutefois il existe ! La rigidité de l'organisation du travail n'est pas le seul obstacle. Il faut aussi tenir compte d'autres facteurs objectifs : le travail domestique n'a pas la même réalité ni la même valeur pour le célibataire qui habite un studio dans une grande ville ou pour le père (ou la mère) de famille nombreuse en maison individuelle avec petit jardin qui lui permet de se livrer à une réelle autoproduction. On considère traditionnellement que l'autoproduction est plutôt le fait des catégories populaires plus aptes par leur formation professionnelle à effectuer des travaux de bricolage, de réparation ou de mécanique. Qu'elle est moins développée en milieu urbain qu'en milieu rural. Pour les agriculteurs il est d'ailleurs difficile de faire la part entre autoproduction et production tout court.

Une économie à part entière

C'est vrai si l'on s'en tient à une autoproduction uniquement matérielle. Cela l'est moins si l'on considère la formation et l'éducation ou d'une manière générale toute production intellectuelle comme une autoproduction. En Suède on estime que ce sont les cadres qui « produisent » le plus durant leur temps libre et qu'ils sont les principaux gagnants du travail au noir. La pression fiscale qu'ils subissent n'y est sans doute pas pour rien. Mais de proche en proche l'autoproduction matérielle a gagné toutes les couches de la population. Ainsi 66 % des Français déclarent faire de petits travaux de bricolage et 35 % des travaux plus importants.

Il semble bien que l'autoproduction sous ses différentes formes progresse rapidement. Elle progressera encore avec la réduction prévisible du temps de travail. Encore plus si la croissance, à durée de travail égale, reprend. Le secteur de la construction constitue le domaine de prédilection de l'autoproduction. Il ne s'agit plus simplement d'aménagements intérieurs mais de refaire carrément son logement, de construire une annexe, voire dans certains cas de construire une maison dans son ensemble. C'est d'ailleurs un phénomène international. Aux États-Unis plus de 50 % des matériaux destinés à la construction sont directement vendus à des particuliers. En Suède, près de la moitié des résidences secondaires (les fameux petits chalets peints en rouge et blanc qui ressemblent à des maisons de poupée) sont autoconstruites. En France, on ne pourrait s'expliquer les bons résultats de certains industriels (les cimenteries par exemple) par le nombre officiel de logements neufs qui n'a cessé de chuter depuis 1978. Peut-on encore parler de « bricolage » dans ces conditions ? A l'évidence, l'autoproduction devient une production à part entière, véritable secteur économique avec lequel il faut compter.

On entend souvent dire des chômeurs qu'ils sont les premiers à se livrer à l'autoproduction par compensation ou pis au travail noir. Pour une part cela est difficilement contestable. Mais on aurait tort de généraliser car certaines études ont montré que le chômage entraînait une attitude de retrait social à l'égard de *toutes activités*. Que non seulement les chômeurs ne compensaient pas par une production libre ou par du travail noir, mais qu'ils en faisaient moins que d'habitude. Et que le chômage pouvait générer l'inactivité globale et le repli sur soi. Ce qui est encore une manière de montrer les liens directs entre l'économie formelle et l'économie informelle.

Du domestique au collectif

Précisément de l'économie domestique à l'économie d'échange il n'y a qu'un pas que l'on franchit de plus en plus allégrement. Plus l'univers domestique élargi à l'autoproduction prend de l'importance, plus il réclame compétences, savoir-faire et force de travail conséquente. Dès lors il suscite des échanges de voisinage ou des regroupements informels autour de projets communs. L'économie de troc a toujours existé, particulièrement en milieu ouvrier où l'entraide et la solidarité composent un fonds culturel commun. La crise a étendu ce phénomène à d'autres catégories sociales. Les jeunes en particulier fonctionnent beaucoup à partir de ce type de réseaux d'échanges. C'est souvent une manière d'obtenir une petite rémunération contre un travail limité dans le temps. Le système D est souvent la seule ressource des jeunes à la recherche d'un premier emploi. Le développement des résidences secondaires et de la maison individuelle en milieu péri-urbain ou rural favorise aussi ce type d'échanges et la constitution de réseaux plus ou moins denses. Bien entendu les échanges monétaires ne sont pas toujours absents de ces circuits.

Légalement (ou plutôt illégalement), il s'agit de travail noir. Mais, on le sait, l'existence d'une rémunération n'est pas toujours la motivation principale de ceux qui donnent ou échangent du travail, des services ou des compétences. L'argent fait partie des « rémunérations » annexes en guise d'échange de bons procédés parmi bien d'autres gratifications. C'est du travail noir sous sa forme la plus bénigne, il est invisible socialement et on perdrait son temps à vouloir le réprimer.

Échanges productifs, échanges affectifs

La recherche de nouvelles formes de socialisation, d'utilité productive durant son temps libre, d'implication personnelle dans un travail que l'on maîtrise sont au cœur de la constitution de ces échanges et réseaux. Plus le temps libre progressera, plus les loisirs prendront une forme active, donnant lieu à de multiples productions plus ou moins autonomes ou collectives. On ne peut pas inciter à la pré-retraite pour libérer des emplois et demander dans le même temps aux intéressés de ne pas se lancer dans une activité productive sous prétexte qu'elle risque de concurrencer le marché officiel ! Surtout si les pré-retraités en question sont livrés à la solitude et voient dans un travail plus ou moins bénévole l'occasion de nouer des relations qui leur manquent après une vie sociale bien remplie. Il faudrait tenter de prendre la mesure de ces groupes informels. Beaucoup y voient l'avenir de la socialisation qui passera de moins en moins par des institutions établies. Socialisation choisie, à géométrie variable et évolutive dans le temps par opposition à la famille traditionnelle. D'autres considèrent qu'il ne peut s'agir d'une socialisation de substitution mais d'un simple complément à l'univers familial et domestique. Quoi qu'il en soit, ces groupes permettent *une nouvelle expression de base et d'agrégation des intérêts*. Ils ont contribué à renouveler le genre associatif. Bien des associations ne sont que la formalisation de ces groupes de base. Plus proches de la demande réelle, mieux ancrées dans le concret, elles ont parfois un dynamisme plus fort que les grandes structures associatives marquées par l'idéologie, par une conception très culturelle et conventionnelle des loisirs ou par ce que l'on appelle encore l'éducation populaire. Mais beaucoup répugnent à toute forme d'institutionnalisation, fût-elle aussi légère que la loi de 1901. C'est pourquoi certaines municipalités ont créé des associations de services chargées d'apporter un appui matériel ou logistique aux groupes qui en font la demande. Ainsi sont nés des ateliers de quartier, mettant à la disposition des groupes, ou même des particuliers, du matériel ou de l'outillage pour favoriser l'aboutissement de leurs projets. Ces aides ne sont pas toujours désintéressées. Car bien des groupes œuvrent pour le bien public : réfection d'équipements collectifs, entretien de sentiers de randonnées, protection de l'environnement... Dans bien des cas, ces actions s'apparentent à des missions d'utilité sociale dont nous avons déjà parlé. Pour les municipalités ces ateliers sont aussi un bon moyen d'animation locale et de développement d'activités utilitaires pendant le temps libre.

Cours de guitare contre cours de plomberie

Autre exemple, *les réseaux de formation réciproque*. Les premières expériences ont eu lieu, à l'initiative de la ville nouvelle d'Évry. L'idée de départ était simple : mettre en relation, hors cadre institutionnel, les habitants désirant échanger des savoirs, des expériences ou des services entre eux. On a vu rapidement fleurir les petites annonces proposant d'échanger « cours » de guitare contre « cours » de cuisine, « cours » de plomberie contre initiation à l'informatique, etc. Au vu du succès remporté par cette initiative d'autres villes commencent à copier cette expérience originale.

La richesse et la variété de cette production informelle fait chaque jour plus d'adeptes. Et les responsables locaux commencent à deviner l'importance d'un tel secteur pour la vitalité de l'économie de demain. En effet, l'économie informelle anime de grands espoirs pour le futur. Plus de temps libre pour chacun, des individus mieux formés qui ne trouvent pas toujours dans le travail de quoi exprimer toutes leurs virtualités, le désir de recréer des communautés (affectives ou d'intérêt, familiales ou non, rurales ou périurbaines) autant d'éléments qui laissent prévoir *l'explosion* de cette nouvelle économie qui est aussi une nouvelle conception du travail. Comme si l'économie avait trouvé de nouveaux « champs » à investir à la périphérie de l'économie marchande. Comme si l'économie avait un besoin impérieux de se ressourcer ; de retremper dans le social pour retrouver une nouvelle vigueur. Comme si une nouvelle alliance entre l'économique et le social nous donnait la clé du développement futur. Plus prosaïquement, certains voient bien dès aujourd'hui que le temps libre peut être beaucoup plus « rémunérateur » que le temps de travail. Avec la stagnation de la croissance et des revenus (directs et indirects), la difficulté de trouver les services nécessaires à la vie quotidienne (ex : les artisans), la hausse du niveau de vie pour certains passera peut-être par une plus grande implication dans l'économie informelle. L'art de se fabriquer sa propre croissance qui, ajoutée à celles des autres, fait la croissance tout court.

Les professionnels du quotidien

L'économie et le travail sont à la recherche de ce nouvel équilibre privé/marchand qui définira l'an 2000. L'invasion des technologies domestiques va dans le même sens. La vie quotidienne *se professionnalise*. Le matériel des bricoleurs d'aujourd'hui ne diffère guère de celui des professionnels. Le rush sur l'informatique s'explique par la crainte d'être dépassé par la complexité du quotidien. Les circuits se raccourcissent, le consommateur devient de plus en plus producteur. De lui naissent les nouvelles applications technologiques mais aussi de plus en plus souvent l'innovation elle-même. Une nouvelle race de savants naît du quotidien, ils jouent avec leur environnement et ont de plus en plus de pouvoir sur lui. Pouvoir inquiétant parfois quand ceux-là peuvent dépasser en imagination et en compétence les techniciens officiels. Quand deux jeunes Américains de quinze ans peuvent investir le temple informatique qu'est la NASA et jouer «pour de bon» à la guerre des étoiles!

Temps libre + microtechnologie : un cocktail explosif !

La souplesse du secteur informel, la mobilité des jeunes d'aujourd'hui, leur goût prononcé pour les technologies d'avant-garde, leur volonté de dépasser le XXe siècle et de se comporter en enfants du XXIe siècle qu'ils sont, peuvent faire des miracles. Après la démocratie politique, après la démocratie sociale, la conquête de demain sera celle de la *démocratie économique.* Celle du nouveau pouvoir du consommateur-producteur qui par définition est le plus apte à saisir ses propres besoins. La révolution informatique, c'est aussi le pouvoir rendu à l'individu. Chance et risque à la fois provoqués par la crise qui réclame de nouvelles marges de manœuvre, de nouveaux interstices dans lesquels les nouvelles technologies, l'individu et sa soif d'avenir vont s'engouffrer. A l'évidence, l'économie informelle est un champ de manœuvres privilégié. Souffle de liberté qu'espèrent les innovateurs lassés d'attendre à la porte des entreprises qui ferment. Ils sont à eux-mêmes leur propre entreprise. Petite minorité? Petits malins du système D à haute performance? Petits extra-terrestres sans lien avec la masse sociale recroquevillée sur ses avantages acquis? Pas sûr, les avantages accordés par le XXe siècle ne sont rien au regard des possibilités qui s'ouvrent avec le siècle nouveau. Si la vie quotidienne devient source d'invention permanente, nous serons tous des inventeurs au petit ou au grand pied. Chacun selon son originalité propre réalisera son cocktail avec un zeste d'imagination, pas mal de microtechnologies et peut-être beaucoup de liberté. Ce cocktail économico-social est en train de naître. Pour l'instant il est couleur muraille et passe inaperçu. La couleur grise est la couleur qui lui sied : ni travail blanc, ni travail noir. Il est entre les deux. Recherche de satisfaction personnelle et d'épanouissement pendant le temps libre autant que recherche d'une rémunération annexe. Travail individuel dans l'autoproduction autant que travail collectif dans le projet commun ou dans l'échange d'expériences. Usage du secteur marchand pour l'achat de technologies sophistiquées, usage de la liberté et de l'informel pour lui faire rendre toutes ses potentialités. Les frontières deviennent floues, le mélange est la règle. Pourquoi s'en étonner ou s'en offusquer ? Les vieilles divisions d'hier donnent naissance aux alliances de demain.

Pour l'instant l'économie informelle est encore obligée de se dissimuler, de se parer des vagues attributs du temps libre. Cela ne pourra pas durer, l'Institution devra réagir. Saura-t-elle accompagner sans réprimer, clarifier sans diriger, égaliser sans tuer ? Peut-il exister des institutions «informelles» ? Le politique saura-t-il se mettre au diapason de l'innovation sociale, nouveau ressort du développement économique ? Sera-t-il suffisamment créateur pour laisser du champ à la liberté créatrice ? Au fond ce n'est pas un hasard si le débat politique et de société se cristallise sur les problèmes des libertés. Comme toute chose la liberté doit évoluer, ce qui était source de liberté (et d'égalité) hier peut devenir carcan demain. Chaque époque doit inventer des libertés nouvelles y compris dans le domaine de l'économie.

« *Je suis mon entreprise* »

On peut se demander si l'avenir ne nous réserve pas une *inversion* économique et sociale. Dans laquelle ce serait le libre jeu social qui inventerait les nouvelles règles du développement et de l'économie. Dans cette perspective l'économie informelle serait un moteur essentiel. Aux États-Unis cette hypothèse prend déjà une certaine réalité. Le très officiel « Rapport annuel mondial sur le système économique et les stratégies » le laisse entendre lorsqu'il déclare : « De plus en plus d'entrepreneurs aux États-Unis éprouvent le besoin de lancer leurs projets dans le cadre familial. A Long Island, près de New York, on compte ainsi un millier d'entreprises de pointe dirigées par des couples... Papa, maman and Co sont le fer de lance de la révolution technologique. » Ainsi l'économie informelle et, dans ce cas précis, la seule économie domestique est-elle capable d'engendrer et de nourrir le marché en se transformant en véritable entreprise familiale.

Ce n'est pas nouveau ? Les entreprises familiales ont toujours existé et représentent même une part non négligeable dans le total des entreprises en France. Certes, mais les entreprises du nouveau type sont souvent restreintes au seul cercle familial ou au petit cercle de copains. Et à la différence des entreprises familiales traditionnelles, elles ne se cantonnent pas au secteur de l'artisanat, du commerce et de la distribution. Elles s'investissent au contraire dans des secteurs à très haut potentiel technologique. Elles sont pionnières dans leur domaine. D'une extrême souplesse, se jouant des habitudes et parfois des règles commerciales, elles tirent le meilleur parti des dernières découvertes dans la microtechnologie. Les règles du travail n'ont bien sûr pas la même signification ni la même pesanteur dans le milieu familial. Chaque membre est prêt à se dévouer entièrement au projet et à la cause familiale. Quoi de plus motivant que de travailler pour soi ou pour son entourage ?

La Silicon Valley : un modèle dépassé ?

Le modèle d'entreprise de la Silicon Valley est en voie d'être dépassé ! C'est bien là l'essentiel de la révolution technologique qui est aussi une évolution sociale et une révolution dans les mœurs : un nouveau rapport entre l'individu et la technologie hypersophistiquée. Nouvelle unité de base, nouvelle règle d'or que cet individu d'un nouveau type qui par la magie technologique se trouve confronté à une infinité de possibles. Qui peut transformer les rêves les plus fous en réalité sans recourir nécessairement à une organisation complexe, à un important investissement en capital ou à un marché de taille suffisante garanti dès le départ. L'entreprise familiale répond d'abord à ses propres besoins. Elle est dans un premier temps son propre marché. C'est de l'autoproduction avant d'être une production collective. Dans un tel contexte, les microtechnologies rendent à l'homme ce qu'il a de meilleur : *le pouvoir d'invention*, le génie créateur. Car nous savons bien, et la cybernétique l'a dit avant nous, qu'à la machine ou à la technique rien n'est vraiment impossible, qu'elle n'a pas de limites. Sa limite : la capacité d'inventer précisément et de produire du sens. Paradoxe, c'est justement cette technologie qui fait si peur, qui peut libérer et donner la pleine mesure de cette inventivité. Serons-nous assez inventifs ? La vraie limite de l'avenir se trouve en nous. Saurons-nous assez enrichir le quotidien pour que la nouvelle chaîne économico-sociale qui part de l'individu et de son initiative se transforme en projet puis en entreprise (formelle ou non), et crée les activités et les marchés de l'avenir ?

Quand Saint-Gobain se ressource dans le micro-social

Les exemples timides que l'on commence à percevoir aux États-Unis feraient-ils déjà des émules en France ? Peut-être à en croire les initiatives remarquables lancées par une très grosse entreprise comme Saint-Gobain. Au lieu de tout produire pour elle-même et de jouer les mégalopoles de la production, Saint-Gobain s'est mis en tête d'aller chercher dans l'« informel », dans l'initiative spontanée, la voie des entreprises et des marchés de demain. A Vénissieux, près de Lyon, le représentant de l'entreprise a décidé de créer les « Ateliers du temps libre » qui disposent d'un outillage sophistiqué et où chacun peut venir réparer lui-même son automobile. Aussitôt ces ateliers, qui répondaient à un vrai besoin social, ont connu le succès. Ce qui a naturellement permis de créer des emplois (un ingénieur et six mécaniciens) et de fonder une coopérative. L'aide de Saint-Gobain n'est pas philanthropique puisqu'elle permet de donner des emplois à d'anciens travailleurs de l'entreprise et de profiter de la demande induite par la nouvelle activité. Cette initiative a une grande valeur d'exemple pour l'avenir. Elle illustre une nouvelle alliance entre la grande structure qui propose des services à la carte (aide logistique, de gestion ou financière) et l'activité libre d'où jaillissent les idées d'après-demain. Il est pour le moins singulier d'observer cette nouvelle alliance entre *un individu libre et une énorme multinationale*. Il est aussi singulier qu'une grosse entreprise se substitue aux relais bancaires qui jouent mal le jeu et sont toujours en retard d'une innovation. L'initiative de base a souvent autant besoin de conseils techniques, de leçons de l'expérience, du soutien moral et financier d'une entreprise dont la polyvalence permet de répondre à presque toutes les demandes. La réconciliation entre le grand capitalisme international et l'écologie n'est pas la moindre surprise que nous réserve peut-être l'an 2000.

De nouvelles alliances ?

A la limite cela peut préfigurer une nouvelle organisation économique. Avec d'un côté de grosses entreprises de service capables de développer des systèmes et une instrumentation complexe et de l'autre une multiplicité d'initiatives (sous forme d'entreprises ou non, et pourquoi pas l'économie sociale ?) qui utilisent les technologies, les adaptent, les transforment et qui viennent à leur tour vivifier la grande entreprise en lui permettant de rester collée à la demande sociale. D'aucuns crieront à la « récupération », à la commercialisation et à l'exploitation d'activités conviviales et informelles. Ce n'est pas sûr. Car la grosse entreprise a peut-être encore plus besoin de ce qui est fondamental pour l'avenir : l'idée, l'imagination, la capacité

147

d'invention. Les industriels d'avant-garde ne s'y trompent pas, la relation sera de libre complémentarité ou elle ne sera pas. C'est le contrat qui aura le rôle fondateur. Le siècle de l'invention est peut-être en train de naître sous nos yeux. Mieux que l'État, une grande entreprise comme Saint-Gobain a ouvert une porte. La bonne, celle de l'avenir. Il est peut-être dépassé le temps ou J.K. Galbraith nous parlait de « filière inversée », entendant par là que la techno-structure serait apte à créer sa propre demande. C'est peut-être l'inverse qui va se passer. Il est aussi un peu dépassé le temps où l'on prédisait la division en deux de l'économie.

D'un côté les macro-instruments permettant la fabrication à grande échelle de produits en « kit », de l'autre les micro-instruments permettant l'assemblage et la personnalisation de l'objet ou du produit. La logique du futur va plus loin. La complémentarité ira plus loin. La demande et les réalisations sophistiquées se feront sur le terrain, c'est la grande entreprise qui jouera sur les marges, filet de protection et organe de développement tout à la fois.

La « maison-entreprise »

A un niveau très modeste, dans la ville nouvelle du Vaudreuil près de Rouen, on tente de montrer qu'il est possible de construire un habitat d'un type nouveau [1]. Que le logement ne sert pas seulement à dormir ou à manger mais qu'il peut être aussi un lieu de production. Il s'agit ici moins d'entreprise familiale que d'une *maison-entreprise*. Tournée sur elle-même et autosuffisante à la manière de l'économie domestique du passé ou alors tournée sur l'extérieur et productrice de biens et de services pour la collectivité. Production alimentaire, production de vêtements, de montres et même de micro-ordinateurs. On dira que ce type de maison-entreprise est inacceptable si elle travaille au noir et échappe à la fiscalité des entreprises commerciales. Cer-

---

1. Expérience menée par G. Aznar.

tes, mais il faut alors trouver des aménagements dans la réglementation et la fiscalité si l'on ne veut pas étouffer l'inventivité dont dépend le sort de l'économie entière. Le progrès économique ne cesse de déplacer les frontières entre le formel et l'informel. On ne peut condamner les ateliers de quartier qui permettent l'autoréparation (c'est le cas de le dire) ou l'autoconstruction sous prétexte de concurrence aux garagistes ou artisans. Là aussi devrait jouer une loi de la complémentarité entre professionnels et amateurs éclairés. L'apport et les conseils des professionnels seront toujours indispensables, mais ils devront se spécialiser, se servir de techniques plus performantes. Ainsi va la loi de complexification de l'économie.

Vers de nouveaux équilibres

Il est clair que le développement d'une économie informelle de plus en plus « performante » représente un manque à gagner pour le budget de l'État comme pour le budget social. Mais il faut savoir ce que l'on veut. On ne peut tout à la fois demander plus de liberté pour produire et échanger des services avec un minimum de contraintes, et demander parallèlement à l'État d'accroître son rôle de redistribution pour obtenir les mêmes biens et services. C'est un choix d'avenir en même temps qu'un choix de société. La logique que nous avons développée tend plutôt vers une redistribution des responsabilités de l'État vers les collectivités locales et les individus. Aux collectivités locales qui seront de plus en plus maîtresses du jeu de fixer les cadres du formel et de l'informel ; elles le font déjà en favorisant certaines formes d'autoproduction (ateliers, jardins familiaux) ou de production collective. Aux individus, groupes informels et associations de peser dans les choix et la répartition entre ce qui revient à l'institution et ce qui peut revenir à l'auto-organisation. De ces choix et de ces nouvelles manières de produire dépend le visage de la démocratie de demain. Car il faut pour l'avenir prévenir un nouveau risque. Celui des inégalités nouvelles entre ceux qui sauront s'organiser, qui disposeront des ressources personnelles suffisantes pour participer de manière active aux nouveaux réseaux familiaux ou collectifs et ceux qui s'en sentiront exclus. Il n'y aura pas un seul et unique modèle mais au contraire une variété de situations. Ceux qui consacreront l'essentiel de leur temps à leur vie professionnelle, ceux qui verront de meilleures opportunités dans l'économie informelle. Encore faut-il que chaque situation résulte d'un choix personnel sans engendrer de ségrégations sociales.

A terme, chacun est gagnant à l'élargissement de l'économie informelle ; c'est du pouvoir en plus sur ses conditions de vie, c'est une manière d'être « autoproducteur » de sa propre existence. Au plan économique, nous l'avons dit, l'économie informelle peut contribuer à tirer vers l'avant l'économie dans son ensemble et à en redynamiser le mode de fonctionnement. Cela ne se fera pas sans nouvelles institutions sociales qui doivent être en concordance avec ce nouveau mode de production.

Du temps libéré pour une nouvelle croissance ?

On aurait presque envie de dire aujourd'hui que l'avenir du travail c'est le temps libre ! D'un double point de vue. D'abord le temps de travail imposé, strictement « professionnel » ne va cesser de se réduire globalement. Sous des formes diverses : pré-retraite, années sabbatiques, allongement de la formation initiale et permanente, progression rapide du temps partiel, croissance des temps de vacances, réduction annuelle, mensuelle ou quotidienne du temps de travail. Il faut simplement espérer que ces diverses formes de réduction finiront par se substituer à cette autre forme de réduction imposée et dégradante pour ceux qui en sont les victimes : le chômage.

Par ailleurs, le travail de production (économique et social) se fera aussi dans le temps libre. Le « hors-travail » deviendra une source importante de travail. Ce n'est pas jouer sur les mots quand on pense à la place du travail libre, individuel ou collectif, informel ou semi-formel, de service public et d'utilité sociale. L'économie souterraine est arrivée au stade où elle ne peut plus se cacher.

Le travail « à loisir »

Que vaudra alors la distinction travail/temps libre ? Une opposition dénuée de sens que refusent déjà quelques privilégiés ; ceux pour qui travail et temps libre se confondent. Ce qui ne signifie pas, comme on le dit parfois, que nous serons entièrement libres ou que nous passerons d'un monde dominé par la nécessité à un monde idéal de liberté. Simplement nous serons beaucoup plus libres d'aménager nos contraintes. Le principal « choc du futur » proviendra de cette nouvelle rencontre du travail et du temps libre et de leur fusion partielle. On a encore du mal à imaginer le bouleversement que cela entraînera dans les différents temps sociaux. C'est la structure même du temps, aussi vieille que la révolution industrielle, qui repose sur les découpages traditionnels entre travail-transports-temps libre-vacances qui va éclater. Quand on sait l'importance de la structuration du temps sur la structuration de la personnalité, sur notre expérience de l'existence, sur les différents rôles sociaux que nous sommes amenés à jouer, on conçoit que nous soyons à l'aube d'une révolution plus formidable encore : celle des structures mêmes de l'existence. Comment ne pas penser que cette nouvelle expérience du temps produira un homme et des valeurs nouveaux ? Il y a là un vaste sujet de réflexion pour le philosophe et l'on ne s'étonnera pas de l'abondante littérature qui prend ce thème pour cible. L'opinion publique pressent d'ailleurs l'ampleur de la révolution que nous allons vivre : plusieurs enquêtes montrent que les problèmes de temps sont désormais considérés comme plus importants que les problèmes d'argent.

Les nouvelles bases d'une distribution des revenus

La principale différenciation entre temps libre et travail (pour ne pas dire l'unique!) provient précisément de la rémunération affectée au travail professionnel. Il n'est pas sûr que cette différenciation soit aussi forte à l'avenir et que ce dernier «verrou» ne finisse pas aussi par sauter. Le travail formel, réduit à sa plus simple expression, risque d'être un critère insuffisant dans la distribution des revenus. Ce critère freine certaines évolutions sociales et technologiques indispensables. D'autres temps sociaux aussi productifs (y compris au plan économique) mériteraient peut-être autant une rémunération. Que ce soit le temps d'utilité sociale ou certains secteurs de l'économie informelle. La restructuration des temps sociaux supposera inévitablement de nouveaux critères et de nouvelles modalités dans la distribution des revenus. Il ne s'agit pas d'introduire plus de redistribution sociale (ce qui alourdirait les prélèvements et le rôle de l'État) mais d'envisager d'autres critères objectifs susceptibles d'opérer un nouveau partage des revenus. On a parlé et on parle encore beaucoup de l'impôt négatif ou du «revenu social» qui permettrait de donner un revenu minimum à chacun, indépendamment de sa situation propre, et qui simplifierait les mécanismes financiers de redistribution. Sorte de «minimum vital» accordé à tout un chacun. C'est l'exemple même du *non-critère*, de la redistribution aveugle qui ne tient aucun compte de l'apport de chacun au développement économique, social ou culturel. Ce serait un revenu «improductif» par excellence... Il faut le mentionner car de nombreux pays sont attirés par cette forme de distribution de la richesse, en apparence égalitaire.

La consommation productive

S'il devient de plus en plus difficile d'opposer travail (au sens large) et temps libre, il deviendra tout aussi difficile d'opposer temps libre et productivité, temps libre et développement économique. Certains vont jusqu'à penser que notre système productif est «bloqué» par insuffisance de temps libre. Que la nature des biens produits réclame et réclamera un temps libre, temps de consommation cette fois-ci, plus important. C'est particulièrement vrai pour les biens à dominante culturelle ou pour ceux qui font une large place à l'information. Si l'on acquiert un micro-ordinateur, il faut non seulement avoir le temps de s'en servir mais aussi de s'y initier, ce qui représente pas mal de temps. Plus les objets produits incorporeront un fort potentiel technologique, plus ils nécessiteront un temps d'apprentissage et d'usage conséquent. C'est encore plus vrai de l'information dont on nous dit qu'elle est à coup sûr l'industrie du futur. Or rien ne réclame plus de temps disponible que l'information ; d'une certaine manière nous y passons et y passerons encore plus notre vie. Chacun fait l'expérience de ces objets de consommation qui s'accumulent et qui sont très sous-utilisés. Nous sommes souvent frustrés par le temps qui manque pour profiter de ce qui a été chèrement acquis. L'écart entre l'accumulation d'objets et le déficit de temps a des limites. On finit par hésiter devant l'achat dont on n'aura pas suffisamment le temps d'usage. Le marché se déprime, l'innovation devient moins fréquente. En conséquence, nombreux sont ceux qui estiment qu'il faut redynamiser la demande et surtout la renouveler. La croissance du temps libre, pour paradoxal que cela puisse paraître, peut y contribuer.

Les industries du temps libre

Le temps libre, c'est aussi une industrie. Une des plus grandes «industries» de l'avenir à coup sûr. Les Français y accordent une part croissante dans leur budget. On aurait pu croire qu'en période de crise les dépenses de loisir seraient les premières affectées. En réalité le poste «loisir» est un de ceux qui a le moins souffert. On accepte de rogner sur l'essentiel (alimentation, habillement) mais on préserve le départ en vacances ou l'achat du magnétoscope. Toutes les statistiques démontrent que l'industrie du temps libre est en forte expansion. Le tourisme est un exemple avec les 55 % de Français qui seront partis au moins une fois durant l'année 83. Presque 1 % de progression tous les ans ! La pratique sportive (formelle ou informelle !) atteint des niveaux que l'on aurait jugés parfaitement irréalistes il y a seulement quatre ou cinq ans. Les sports réservés à une élite se démocratisent très rapidement. Le tennis est en passe de devenir un des sports les plus populaires en France et de rattraper le football en nombre de licenciés. Même le golf, que l'on jugeait hors de portée du grand nombre en raison des lourds investissements qu'il suppose, gagne du terrain. Sous la pression de la demande, des municipalités ont été « contraintes » d'ouvrir des golfs publics qui permettent de pratiquer ce sport à un prix abordable. Signe encore plus évident de dynamisme : on a calculé qu'il se créait en moyenne chaque année *trois ou quatre nouveaux sports*. Qui connaît le « fun board », le « grass ski », le « wind skiing » ou le « scooter marin » ? Ce sont les sports de demain. Formidable potentiel d'innovation avec ses effets d'entraînement sur la création d'infrastructures nouvelles, sur l'aménagement du territoire ou simplement sur l'achat d'équipements parfois très coûteux.

D'une manière générale c'est toute une industrie centrée sur le corps qui constituera l'un des axes forts de l'industrie du temps libre. La mise en valeur du corps, l'amélioration de ses performances, le désir de longévité, le recul des limites de la mort, le « nouveau » sensualisme, le retour sur soi-même en même temps que son dépassement représentent les défis de l'homme du XXe siècle mais aussi une industrie puissante. Le corps deviendra sans doute un lieu d'investissement économique et social dans une civilisation dominée par le temps libre où les valeurs libertaires et d'expression de la personne représenteront la morale commune. Le devenir social passera de plus en plus par la réalisation multiforme de l'individu dont le corps est le symbole le plus évident.

La culture du quotidien

Cette culture du corps n'est pas exclusive de la montée d'autres valeurs culturelles. Les spécialistes des vacances s'en rendent compte. La soif de connaissances, d'apprentissages techniques, d'une culture à l'usage du quotidien pour mieux maîtriser son environnement et son temps libre sont aussi un signe annonciateur de cette fin de XXe siècle. Le succès des vacances-stages en témoigne. On veut pouvoir dominer les instruments du quotidien de demain, à commencer par l'informatique. Il est intéressant d'observer que les mêmes instruments (ex : l'ordinateur) serviront *aussi bien* au temps libre qu'au travail professionnel. On devine que les formations sur des sujets parfois très techniques sont la clé d'une réalisation personnelle face à la liberté qui nous attend. Que c'est une clé indispensable pour qui voudra communiquer, échanger et faire partie des nouveaux réseaux de socialisation. Est-ce si loin de la culture au sens traditionnel, de la culture humaniste ? Sans doute non, les cultures techniques et les savoir-faire seront les instruments de communication de demain, les fondements des échanges culturels. Encore faudra-t-il posséder ces nouveaux langages !

La fin du « passeport tous risques »

Le marché de l'information par lequel transite une bonne part de la culture d'aujourd'hui est déjà en effervescence. La multiplication des canaux et des circuits en fera un véhicule culturel plus important encore en même temps qu'un marché. C'est dire que le temps libre sera aussi un temps de *formation*. On sait que la reproduction culturelle et qu'une part essentielle de la formation se font déjà hors institutions. Les écoles parallèles (famille, relations, associations) pèsent souvent plus lourd que l'école elle-même ou les différentes institutions de formation. Ce qui est déjà vrai aujourd'hui le sera plus encore demain. C'est une nouvelle révolution culturelle que nous aurons à vivre. Celle où la formation et l'élaboration culturelles se feront autant à partir du temps libre et des sujets d'intérêt propres à chacun que des institutions ou du travail lui-même. Avec les risques évidents d'inégalité mais aussi de liberté que cela comporte. Les « inégalités » risquent de provenir autant de notre manière d'utiliser notre temps libre que de la place occupée dans le travail. L'un ne va-t-il pas avec l'autre ? A travail enrichissant, loisirs enrichissants ? L'équation semble moins vraie. Parfois c'est l'inverse qui se produit. La vie professionnelle se construit *autour* de ses loisirs préférés, autour d'une passion. Soit qu'il y ait relation directe, l'activité professionnelle naissant d'un hobby ou d'un pôle d'intérêt privilégié. Ou alors relation d'indifférence, le travail étant une activité considérée marginale, choisie pour la liberté qu'il procure de développer par ailleurs des activités personnelles. Ainsi voit-on de plus en plus souvent des salariés refuser une promotion ou un changement de lieu de travail pour ne pas compromettre la pratique de tel ou tel loisir. Pour certains le travail professionnel continuera de demeurer cependant une raison de vivre essentielle, le principal lieu d'investissement. Toute généralisation serait abusive. Ce qui frappe dès aujourd'hui c'est la variété des situations. Et la possibilité d'investissement dans un travail hors vie professionnelle. Les vrais « gagnants » ne se recrutent plus obligatoirement chez ceux qui ont une grande réussite professionnelle. D'ailleurs la prudence veut qu'aujourd'hui on ne confonde plus « réussite sociale » et réussite professionnelle. Il y a seulement une dizaine d'années l'un ne pouvait aller sans l'autre. De bonnes études, une solide formation professionnelle, un « bon » métier ne constitueront plus un passeport tous risques. Les clivages sociaux anciens, déjà moins tranchés, vont se diluer avec l'évolution du travail et l'importance des pratiques du temps libre. Les aptitudes à la pluriactivité, à la socialisation et à l'échange collectif, les capacités d'imagination et de création, la familiarisation rapide avec les nouvelles techniques qui vont envahir le quotidien seront des qualités aussi indispensables pour « profiter » de l'avenir. Il n'est pas dit qu'à ce jeu-là les gagnants d'aujourd'hui soient ceux de demain. Qui n'a pas rencontré des titulaires de métiers « prestigieux » incapables d'organiser leur temps libre et de vivre autre chose que leur activité professionnelle ? La retraite leur est parfois bien cruelle.

Un théorème pour l'avenir : plus de temps libre, plus de travail, moins de chômage

Si demain l'industrie du temps libre devient une industrie encore plus essentielle pour la croissance, elle nécessitera parallèlement un temps libre de plus en plus conséquent pour pouvoir « tourner ». Ce n'est pas le moindre paradoxe de l'avenir. Que cette économie créant de nombreux emplois (il s'agit essentiellement d'une économie de services) suppose dans le même temps une consommation abondante de temps libre... Si tel était le cas on pourrait pronostiquer pour bientôt la fin du chômage...

Non, ce n'est pas la « fin du travail » comme on l'a annoncé ici et là. L'avenir nous réserve au contraire une *explosion* du travail. Explosion est bien le mot qui convient puisque le contenu, les formes du travail comme ses règles vont se multiplier et se diversifier. On connaissait essentiellement le travail marchand et celui du secteur public. La classique économie mixte. Il faudra y ajouter le « travail » libre, l'économie informelle ou semi-formelle (les fameuses zones grises), l'économie sociale et le travail d'utilité sociale. Le travail a trouvé de nouveaux champs d'investissement pour l'avenir. Le paradoxe est que ces nouveaux « champs » risquent d'être aussi importants que les secteurs traditionnels.

Par le temps que nous leur consacrerons et par la révolution microtechnologique qui les rendra peut-être plus performants que les secteurs traditionnels. Autrement dit, ce qui était le travail «périphérique» peut devenir travail essentiel. Mais la vraie révolution se trouve dans la force d'innovation de ces nouveaux secteurs. Capables de renouveler la demande et de mieux y répondre tout à la fois, libérés des contraintes étatiques ou bureaucratiques, ils constitueront une véritable force d'entraînement, un des moteurs de l'économie de demain.

Il est pour le moins étrange qu'une part de cette économie de demain repose sur des bases dignes du pré-capitalisme. Résultat d'une nouvelle alliance entre l'homme et la microtechnologie super-sophistiquée.

Le nouveau travail sera aussi un travail social. Face à un État de plus en plus incapable de répondre aux demandes qu'il a lui-même générées, il y a désormais un large espace pour de nouvelles organisations sociales capables de remodeler le service public en étant plus proches de la demande et en apportant des solutions peut-être plus adéquates.

Ceci suppose bien sûr une profonde évolution de la législation sociale comme de celle du travail et l'expérimentation de nouvelles modalités de distribution des revenus qui prennent une plus juste mesure de l'utilité économique et sociale. La nouvelle alliance du temps libre et des technologies d'avant-garde peut nous restituer un pouvoir considérable. Encore faut-il être à même de le prendre et savoir jouer de la liberté retrouvée. C'est la principale inconnue car rien n'est plus difficile que de passer d'un temps institutionnalisé à un temps libéré riche de virtualités multiples, à condition d'être utilisé à bon escient.

CHAPITRE V

Que ferons-nous de notre temps?

La maladie du temps

Du chronomètre au « temps réel » de l'ordinateur

Chaque jour nous faisons l'expérience du temps qui manque, du temps qui presse. Cette course contre la montre ne date pas d'hier. Mais aujourd'hui le problème du temps est en passe de devenir la maladie numéro un des Français. Si l'on en croit la Cofremca, le « temps de vivre » est de très loin leur frustration première. Nouvelle contradiction des temps modernes : plus nous avons de temps (libre), plus il nous semble en manquer. Le temps libre appelle le temps libre et nous supportons de moins en moins bien les contraintes qui le parasitent. Certes, mais l'explication est un peu courte.

En réalité, nous vivons une grande accélération des rythmes de vie. Nous ne sommes plus seulement soumis au rythme des saisons, ou même de la montre, nous sommes entrés dans le règne du chronomètre, nouvel instrument de l'accélération du temps et des cadences. Mieux, l'ordinateur raisonne maintenant en « temps réel », c'est-à-dire en microsecondes. Le temps se mesure à l'échelle de l'infiniment petit, à la vitesse de l'éclair. Toujours plus vite, telle est la loi de la productivité maximale dans une société

« chronophage ». Si gagner du temps est bien la règle d'or du progrès économique et du monde du travail, cette obsession se transpose jusqu'au coeur de notre temps libre et de nos loisirs. On y retrouve souvent la même trépidation. Il faut faire le plus de choses possible dans le moins de temps. Obsession de la performance dans le sport, avaler le plus grand nombre de kilomètres pendant les vacances, regarder la télévision en dînant... les exemples ne manquent pas. Les objets qui nous entourent sont des dévoreurs de temps en puissance dont nous n'avons pas toujours la maîtrise.

Ce sont eux qui nous impriment leur vitesse, leur mode d'emploi et conditionnent nos besoins. La suraccumulation d'objets qui se disputent nos préférences et surtout notre temps accélère encore les rythmes de vie. Pour l'anecdote, il paraît que certains utilisateurs de magnétoscope, incapables d'absorber les programmes de télévision et les émissions ou films qu'ils ont enregistrés, se passent maintenant des films en *accéléré*. Ce n'est plus le film qui compte, c'est la vitesse d'« ingestion » (d'indigestion devrait-on dire). La vitesse en elle-même est devenue plus désirable que ce à quoi elle peut servir. Ce n'est qu'un symbole mais il est bien inquiétant. Ce qui n'est pas un symbole, ce sont les maladies nerveuses qui ne cessent de gagner du terrain ; les maladies cardio-vasculaires sont de très loin le premier facteur de mortalité en France (avec les accidents de la route pour excès de vitesse !). Ce sont les maladies du temps.

La fuite en avant

Entre 1936 et 1982 la productivité a été multipliée par plus de 4. Ce qui veut dire qu'il faut 4 fois moins de temps pour fabriquer le même objet ou, si l'on préfère, le même temps pour fabriquer 4 fois plus d'objets. Sur la même période (1936-1982) la progression du temps libre est presque dérisoire au regard de celle de la productivité. On a donc très largement privilégié la production d'objets par rapport au temps disponible... pour les utiliser. Le niveau

160

de vie plutôt que la qualité de la vie. Le déséquilibre est flagrant. Loin de nous l'idée de négliger les bienfaits de la société de consommation. Ce qui est en cause, c'est moins l'accumulation d'objets que notre aptitude à les maîtriser, à les gérer dans le temps, à nous organiser pour en profiter pleinement. Ce qui est en cause aussi, c'est notre aptitude à faire des choix. L'avenir nous ouvre des horizons multiples. Diversité des modes de réalisation, diversité des métiers, diversité des utilisations du temps libre, diversité des consommations possibles, il faudra savoir choisir. Plus le temps libre augmente, plus les contraintes seront lâches, plus nous serons livrés à nous-mêmes, plus nous serons responsables, plus il faudra savoir choisir. Il ne suffit pas de repousser les contraintes, de revendiquer la liberté, encore faut-il avoir les moyens de l'exercer. C'est peu dire que nous n'y sommes guère prêts. Nous refusons les temps institutionnalisés mais nous y sommes de fait très soumis. Nous obéissons à des temps imposés sur lesquels nous avons en définitive peu de prise. Même le moment des vacances nous est pour la plupart d'entre nous imposé. On comprend alors le désarroi de certains face au temps libre auquel ils avaient pourtant fortement aspiré. Vertige du vide après le trop-plein auquel ils sont astreints. Certains s'en sortent par une véritable boulimie d'activités ou pseudo-activités. Il faut absolument remplir le temps, le rendre productif, l'occuper à tout prix quitte à reproduire la frénésie du quotidien. Mais surtout éviter d'être face à soi-même, d'être contraint de choisir. D'autres à l'inverse se cloîtrent chez eux, se murent dans le silence et l'inaction, incapables de prendre une initiative qu'ils n'ont jamais eu à prendre. Dans les deux cas il s'agit du même mal. L'absence de maîtrise du temps et de réflexion sur son utilisation, que cela se traduise par la fuite en avant ou par l'impuissance.

Quand les Français se disent principalement frustrés par le manque de « temps de vivre », c'est moins de la quantité de temps qu'il s'agit que de la maîtrise qu'ils ont le sentiment d'exercer sur ce temps.

Encore un défi de l'avenir, le plus important peut-être, car s'il est certain que nous disposerons de plus de temps, rien ne nous dit avec certitude de quoi il sera fait. N'est-ce pas la principale angoisse ? De savoir qu'à la différence des périodes passées rien n'est écrit à l'avance et, plus angoissant encore, de savoir que plus que jamais nous en serons responsables.

Des expériences qui ouvrent le chemin

C'est à partir du travail et de l'entreprise que l'on pourra desserrer la contrainte du temps, apprendre à le maîtriser et à l'enrichir. Le travail est, pour l'instant, le lieu où s'exerce la plus forte contrainte sur le temps. Horaires fixes, rythmes uniformes s'imposent à la plupart des salariés. Au-delà des salariés eux-mêmes, cette contrainte pèse sur l'ensemble de la société, y compris sur les « inactifs » qui en sont dépendants par le biais de leur conjoint ou des horaires d'ouverture des services publics par exemple. Le travail reste le grand ordonnateur des temps sociaux, le principal facteur de structuration des rythmes de vie. Une plus grande maîtrise du temps passe donc avant tout par une plus grande souplesse et une plus grande flexibilité du temps de travail. Des expériences d'aménagement, qu'il ne faut pas confondre avec la réduction du temps de travail, ont été tentées. A notre connaissance aucune des entreprises qui en ont fait l'expérience n'est revenue en arrière. Gage évident de réussite qui montre que *l'intérêt bien compris des salariés* rejoint *celui de leur entreprise*. Les formules utilisées sont plus ou moins ambitieuses, depuis le système des plages horaires mobiles au début et en fin de journée jusqu'au « crédit » d'heures à valoir sur des jours de congé supplémentaires.

Des rythmes personnalisés

A EDF par exemple où le salaire est calculé sur la base de 13 mois, il est possible d'opter pour des congés (jusqu'à 20 jours) à la place de la rémunération correspondante. On peut aussi individualiser ses horaires de travail mensuels en faisant par exemple 3 semaines de 40 heures et 1 semaine de 36 heures.

Aux Mutuelles Unies, l'aménagement du temps peut se faire à l'échelle de l'année. On peut, en dépassant l'horaire normal, obtenir un crédit de 26 heures par mois, cumulables d'un mois sur l'autre, dans la limite de 76 heures soit 10 jours de congé. A la fin de l'année on solde les comptes soit en temps libre, soit en rémunération.

Des formules beaucoup plus audacieuses commencent à voir le jour. Elles se combinent souvent avec des réductions volontaires du temps de travail. Avec la flexibilité du temps de travail, le salarié perçoit mieux les avantages qu'il peut retirer de son temps disponible, ce qui l'incite bien souvent à choisir en plus une réduction de ses horaires. Certaines entreprises encouragent ce type d'initiatives en compensant partiellement les pertes de salaire. A CIT-Alcatel, par exemple, un travail de 20 heures est payé à 60 % d'un salaire normal (base 39 heures). Quand on sait que le temps partiel volontaire (à l'inverse il s'agirait de chômage partiel) est l'une des armes les plus efficaces contre la suppression d'emplois et même pour la création de nouveaux, l'intérêt de ces formules est évident. Aux usines Peugeot à Sochaux, il est possible de travailler une semaine sur deux ou un mois sur deux. Et pourquoi pas un an sur deux ?

Les formules sont innombrables, à la limite aussi nombreuses que les salariés eux-mêmes car chacun a des rythmes, des besoins ou des envies qui lui sont propres. Reste à trouver un terrain d'entente avec les contraintes de production de l'entreprise. La rencontre se fait souvent car il s'agit d'entreprises innovantes qui ont compris l'intérêt qu'elles pouvaient retirer d'une plus grande liberté dans l'aménagement du temps de travail.

La liberté qui fait peur

Dans ces conditions, comment se fait-il que ce libre aménagement ne concerne encore qu'une petite minorité d'entreprises et une plus petite minorité encore de salariés ? Il s'agit plus de « résistances » dues au poids des habitudes que de raisons objectives. Les syndicats craignent la démobilisation des travailleurs, une montée de l'individualisme, une tentation de revenir au salaire au rendement. Le patronat hésite à « investir dans le temps », à réorganiser le processus productif et la gestion du personnel, il craint aussi l'« indiscipline » ou le moindre engagement dans le travail. La politique des pouvoirs publics reste incertaine...

Plus profondément, chacun est inquiet des nouvelles marges de liberté conquises par le salarié. De l'autonomie qu'il pourrait prendre par rapport à l'entreprise, de l'affirmation de sa personnalité et de la plus grande difficulté à le contrôler non seulement dans ses horaires mais aussi en tant qu'individu. La liberté et l'autonomie ont toujours fait peur aux pouvoirs constitués. Mais la demande se fait chaque jour plus pressante et chacun sait que l'avenir en passera par là. On peut retarder l'avenir mais non l'inverser. Sur le long terme les entreprises y ont tout intérêt. Les nouvelles technologies et les modes d'organisation du travail qui en découlent conduisent de plus en plus à « casser » la chaîne et à lui substituer des ateliers plus flexibles. Le travail à la chaîne qui était effectivement une entrave au libre aménagement du temps disparaîtra peu à peu. Ces mêmes technologies et les objectifs de rentabilité conduisent à un processus de production « en continu » qui nécessite des aménagements du temps de travail. Enfin, l'avenir imposera une plus grande souplesse dans le volume de production. Le déplacement rapide des marchés, la nécessité de répondre immédiatement à une innovation, les « sauts » technologiques, les

aléas d'une demande de moins en moins prévisible impo-
seront une production à *intensité variable*, plus souple et
plus adaptable. Comment s'en tirer sans une certaine souplesse du côté du travail ?

Dans le même temps, les entreprises commencent à s'aper-
cevoir que les travailleurs libres (d'aménager leur temps)
peuvent être plus productifs que d'autres. Moins d'absentéisme parmi eux et parfois un sentiment plus grand de responsabilité puisqu'ils ont conscience d'avoir *choisi* ce travail
dans ses horaires comme dans sa durée. Enfin une meilleure harmonisation entre temps de travail et temps libre
est aussi une source de meilleure productivité.

Des économies considérables

Il faudrait également mentionner les avantages considérables que pourrait retirer l'ensemble de la collectivité de
cette fluidité dans l'aménagement du temps. Des encom-
brements moins fréquents à l'entrée et à la sortie des entreprises (sait-on qu'il faut parfois une demi-heure pour accéder
aux bureaux de la tour Montparnasse aux heures de
pointe ?) ; un meilleur étalement des vacances et donc un
meilleur aménagement de l'espace ; des services publics plus
accessibles, etc. Le gain collectif (celui que l'on ne comp-
tabilise jamais !) pourrait être très important.

La reconquête du temps

Mais c'est l'intérêt du salarié lui-même qui nous importe
ici. Or les avantages pour celui-ci se situent autant du côté
du temps libre que du côté du travail. Maîtriser son temps
de travail, c'est aussi maîtriser ses loisirs et les autres temps
sociaux. Les premières études qui ont été menées montrent
que, comme par hasard, ceux qui avaient une plus grande
latitude dans leurs horaires de travail étaient aussi ceux qui
avaient les loisirs les plus enrichissants ou tout au moins
ceux qui s'en déclaraient très satisfaits. La plupart des acti-

vités sociales ou de loisir réclament un certain temps pour s'y consacrer. La réduction du travail d'une demi-heure chaque jour change peu les comportements et l'uniformité des rythmes. Par contre, s'il est possible de « capitaliser » des heures libres à valoir sur une demi-journée par semaine ou sur un prolongement de week-end, comme le souhaitent une forte majorité de Français (62 %), le sens même du temps libre et la manière d'en profiter changent radicalement. La possibilité de modifier son emploi du temps (de travail) en fonction des opportunités qui se présentent (un voyage impromptu, une tâche à finir pour la maison) constitue un enrichissement du temps libre et de l'ensemble des temps sociaux considérable. La vertu principale de l'aménagement du temps est une vertu *pédagogique*. Elle amène le salarié à se poser la question de l'utilisation de son temps et de sa répartition optimale. A faire des prévisions, à s'auto-organiser, à imaginer de nouvelles activités. Encore une fois c'est moins l'activité qui compte (travail ou loisir) que le sentiment de maîtrise que l'on en a. Tant il est vrai que *la maîtrise du temps en change radicalement le contenu*. Si un travail choisi n'est plus tout à fait un travail comme un autre, un temps libre choisi est sûrement un peu plus « libre » qu'un autre. On voit bien que la signification de l'aménagement du temps de travail dépasse de beaucoup le travail lui-même.

Les temps nouveaux

Le temps ne s'arrêtera pas en l'an 2000. Essayons de dépasser ce seuil aujourd'hui si proche, mais qui semble encore un horizon indépassable. Si l'on en croit certains futurologues américains, passé cette date, la majorité de la population américaine travaillera à domicile. Le « télétravail » sera la règle la plus courante. L'aspect institutionnel de l'aménagement du temps aura presque complètement disparu puisque chacun sera libre de travailler à sa convenance, le temps qu'il voudra en fonction de ses besoins, au moment où il le souhaitera. Il en résultera une sorte de négociation permanente (à distance !) avec l'entreprise mère pour réaliser les ajustements entre les besoins de chacun et les carnets de commandes de l'entreprise. Mieux, il deviendra très difficile de distinguer le temps de travail des autres temps sociaux ou, si l'on veut, des autres temps de travail : travail personnel, travail familial ou travail social. Les mêmes technologies et instruments servant indifféremment à chacun de ces temps. Dans cette perspective la structuration du temps sera celle de l'individu lui-même. *Temps personnels et temps sociaux se confondront largement.* L'apport de chacun au travail collectif dépendra des compétences, des qualités et des spécialités acquises dans l'univers quotidien.

« L'intelligence du jeu »

A la limite c'est l'entreprise qui partira à la recherche de celui qui aura développé un potentiel personnel et technologique « pour son plaisir ». Rêve ? Pas si sûr quand on sait que les meilleurs informaticiens du moment aux États-Unis (et pourquoi pas en France ?) sont vraisemblablement des jeunes entre 12 et 16 ans qui fabriquent des programmes hypercomplexes à des fins ludiques. La fiction du jeu permet d'aller beaucoup plus vite et beaucoup plus loin que la réalité. Fiction et réalité se rejoindront demain quand il s'agira d'inventer l'avenir au jour le jour. Schiller le disait : « Le jeu est ce qu'il y a de plus profondément humain et ce qui demeurera au travers des siècles. » La faculté de jouer a toujours été très proche de la faculté d'invention. Et le même Schiller ajoutait : « La véritable intelligence est celle du jeu. » L'avenir est aux jeux sur les technologies. Le travail, nouveau jeu de l'an 2000, encore une drôle d'invention de l'avenir.

L'homme-entreprise

En allant un peu plus loin on peut se demander si le télé-travail ne va pas révolutionner plus profondément encore notre rapport avec le travail et le temps. Les liens fonctionnels qui unissent le salarié et son entreprise risquent de s'affaiblir. Et chacun se sentira libre de collaborer avec plusieurs entreprises. Rien n'empêchera qui le voudra d'être connecté avec plusieurs entreprises et de se constituer son réseau de travail. Dès lors le travailleur, ou la cellule familiale, se comportera de plus en plus en *centre de services* susceptible d'apporter sa contribution et ses spécialités à qui le demandera. C'est, curieux raccourci de l'Histoire, le retour du travailleur indépendant qui se profile à l'horizon. Mais un travailleur d'un type nouveau. Car celui-là sera doté, outre sa force de travail et ses compétences, de la puissance technologique d'une véritable entreprise. C'est plutôt d'un *homme-entreprise* dont il faudra parler. Le travail sera alors beaucoup plus autonome et notre pouvoir sur le temps en sortira renforcé.

Le « capital temps »

Mais ce nouveau pouvoir sur le temps ne s'arrêtera pas aux rythmes du quotidien, du mois ou de l'année. C'est l'ensemble de notre cycle de vie qui subira de profondes évolutions. C'est à cette échelle que nous raisonnerons et que nous « planifierons » notre « emploi du temps ». Aux rythmes traditionnels entre formation-jeunesse, maturité-vie active, temps libre-retraite succéderont des alternances beaucoup plus courtes qui mêleront les temps sociaux aujourd'hui artificiellement découpés.

L'évolution économique rend aussi des évolutions indispensables. On aura de plus en plus rapidement besoin des jeunes formés aux technologies du futur, mais parallèlement on aura également besoin de la somme d'expérience des plus anciens pour opérer les transitions en douceur. Sans oublier la nécessité d'équilibrer les régimes de retraite. Dans moins de cinq ans la plupart de ces régimes accuseront un déficit si l'on n'augmente pas le nombre de cotisants. A défaut, il faudra alourdir les cotisations sociales avec les conséquences que l'on imagine sur la compétitivité des entreprises, sur l'augmentation de la redistribution sociale et du poids de l'État, sur la ségrégation accentuée entre les générations.

Toutes ces évolutions réclament plus de souplesse et de nouveaux ajustements entre temps personnels et temps sociaux. Côté institutions, la société pourrait fixer des seuils minimaux pour le temps de formation et de travail professionnel.

Côté individu, chacun devrait être libre de choisir la répartition de ces différents temps en fonction de ses objectifs et temps personnels. Disposant d'un *capital-temps* [1] initial, chacun pourra rechercher la meilleure harmonie possible entre temps contraint et temps libre. Par exemple : moins de formation initiale mais plus de formation permanente, des années de retraite anticipées (ou années sabbatiques) au milieu de la vie compensées par une retraite définitive plus tardive, etc.

Les « aventuriers » du XXIe siècle

Ces nouvelles alternances susciteront l'apparition de « temps nouveaux ». Des *temps mixtes* tout d'abord : mi-formation, mi-temps libre. Les années sabbatiques étant rémunérées sous condition de formation professionnelle minimum. Déjà certains organismes de vacances comme Tourisme et Travail cherchent à offrir des produits « for-

---

1. L'idée commence à prendre. Avec la mise en place du congé sabbatique pour création d'entreprise par exemple. C'est la CFTC qui l'a reprise de manière plus complète en proposant des congés sabbatiques à répétition rémunérés à 60 % sur fonds UNEDIC et organismes de retraite, *un organisme social d'harmonisation du temps de vie* opérant les coordinations nécessaires.

mation » en plus de leurs services habituels. Les stages techniques à usage du quotidien pourraient très bien trouver un prolongement professionnel. Le temps d'utilité sociale que nous avons évoqué est le prototype même du temps mixte : ni contraint ni obligatoire il représente pourtant un travail social volontaire indispensable à la collectivité. Mais les vrais temps nouveaux seront ceux que chacun décidera d'aménager pour une semaine, un mois, ou plusieurs années. Les expériences que l'on pourra pousser jusqu'à leur terme, les autres vies que l'on rêvait de mener et qu'il sera possible de vivre. Chacun aujourd'hui fait l'expérience d'une double vie entre le travail et le temps libre. Chacun cherche à s'inventer un nouveau monde, une ou plusieurs nouvelles activités hors du travail. Il ne s'agit pour l'instant que de « loisirs ». Demain ce seront des expériences *à part entière* qu'il sera possible de vivre. On ne sera plus le « bricoleur » du week-end mais un artisan à temps complet si on le souhaite pour un an de plus. *Il nous sera possible de vivre mille expériences.* D'une certaine manière l'homme du XXIe siècle pourrait bien retrouver une mentalité *d'aventurier*, d'inventeur de nouveaux modes de vie. Les nouveaux moyens de communication nous mettront de plain-pied avec le monde entier. La découverte à domicile peut engendrer l'envie de « voir sur place », d'expérimenter de nouvelles manières de vivre. L'évolution des moyens de transport, le fort développement du tourisme d'affaires, l'importance grandissante des contacts internationaux favoriseront ce type d'expériences qui seront autant de tranches de vie dans une existence aux multiples facettes. Déjà les jeunes, souvent par la force des choses, expérimentent ce type de mode de vie multiforme, aux nombreuses alternances. L'avenir devrait mieux correspondre aux modes de vie qui sont expérimentés par les jeunes. La vie à sens unique où nous ne développons qu'une partie minime de notre potentiel se transformera en une existence à entrées multiples.

Place aux « grands moments »

L'avenir est aussi au temps psychologique. Par opposition au temps quantitatif qui nous impose ses cadres rigides soigneusement mesurés. Le temps psychologique, c'est précisément le temps qui ne se mesure pas, c'est le *moment* même (au sens où l'on parle d'un grand « grand moment »), c'est l'instant présent que l'on choisit de faire durer ou d'écourter selon son intensité, selon les humeurs du « moment ». Bergson écrivait : « Le temps est invention ou il n'est rien. » Le temps psychologique est précisément l'espace de l'invention, le temps que l'on construit soi-même hors de sa durée physique. La libération du temps est à coup sûr la plus grande conquête de l'avenir. Celle du pouvoir de l'individu sur lui-même. Déjà les disciplines scientifiques s'en mêlent : la science du temps est en train de naître. L'alliance du temps et de la biologie a donné la chronobiologie ou science des rythmes personnels. La connaissance de soi-même avec tous les appareils paramédicaux [1] qui sont en train de voir le jour sera un pôle d'intérêt majeur pour les générations futures. Avec tous les excès que cela suppose par ailleurs et le danger d'hypermédicalisation. N'oublions pas que la médecine sera l'une des plus fortes industries de l'avenir.

Le chômage : une erreur de gestion du temps

Si l'avenir nous réserve des temps nouveaux, il fera aussi disparaître des temps « anciens » qui marquent aujourd'hui encore notre vie sociale. Le « temps » de chômage devrait disparaître. Puisque, en fonction des besoins de la croissance, il sera possible de donner plus ou moins d'importance aux différents temps sociaux, que ce soit le temps de

---

1. Des logiciels intégrant toutes les variables personnelles et capables de faire des recommandations (régime, activités physiques ou intellectuelles) vont être prochainement commercialisés.

formation, le temps de retraite et les années sabbatiques, le temps libre ou le temps d'utilité sociale. Le chômage résulte pour partie d'une *mauvaise allocation du temps* à un moment donné. L'assouplissement des temps sociaux donne une large liberté de manœuvre pour que chacun, quel que soit son âge, y participe et ne soit pas réduit à vivre cette sorte de non-temps social, ce temps vide qu'est le chômage. La retraite au sens où nous l'entendons aujourd'hui pourrait aussi disparaître. Elle ne sera plus imposée puisque chacun sera libre de répartir ce temps sur l'ensemble du cycle de vie. Et comme nous aurons été préparés à vivre une multiplicité de temps sociaux et personnels différents, tout au long de la vie, la substitution d'autres activités à l'activité professionnelle pourra se faire sans heurts.

Les nouvelles communautés de temps

Il y a pourtant des limites au libre aménagement du temps et donc à la flexibilité des temps sociaux. La cohésion sociale repose pour partie sur des rythmes répétitifs, collectifs et donc relativement uniformes. On ne peut bouleverser ces rythmes sous peine d'atteinte à une certaine unité sociale. C'est une limite à des statuts temporels particularisés à l'excès. Une certaine vie collective est nécessaire à l'identité sociale et individuelle. Chacun aime bien se retrouver dans l'autre et savoir qu'il vit sur les mêmes rythmes. Ceux qui ont des rythmes par trop décalés par rapport à la moyenne éprouvent souvent des difficultés de socialisation et d'identité. Le cas bien connu est celui des travailleurs de nuit qui cumulent les problèmes de rythmes sociaux avec la perturbation de leurs rythmes physiologiques.

Des rythmes sociaux assez différenciés se développeront s'ils concernent des communautés assez importantes [1].

---

1. Les effets de seuil sont importants dans l'aménagement du temps. Pour que de telles opérations réussissent, il faut qu'elles soient assez importantes. En témoignent les opérations laborieuses d'étalement des vacances.

Groupes d'individus ayant choisi de se créer leurs propres rythmes et donc leur mode de vie spécifique sans pour autant se sentir marginalisés. A la limite, certaines communautés de demain seront des communautés de temps. C'est dans la manière dont les individus «distribueront» leur temps que se créeront des solidarités nouvelles, solidarités temporelles plus que géographiques. Le développement des communications permettra de rapprocher ceux qui ont choisi un même statut temporel, un même mode de vie. Ces communautés «à distance», unies par une perception commune du temps, annoncent-elles une nouvelle forme de sociabilité qui dépasse les solidarités traditionnelles de voisinage ? Peut-être, on peut sans doute se sentir plus proche de celui qui vit au loin mais partage une même conception du temps qui est aussi une manière de vivre.

L'école du temps

Si le libre aménagement du temps et la prédominance des temps personnels sur les temps sociaux sont une donnée de l'avenir, notre capacité à créer des temps nouveaux, à inventer de nouveaux modes de vie, à vivre de nouvelles expériences n'est pas donnée du tout. Le temps, c'est comme pour les technologies : les capacités existent, reste à nous en servir. Nous ne ferons pas de pari sur cet avenir-là. Encore que les domaines d'investissement paraissent si nombreux qu'il semble inconcevable que nous ne sachions pas les utiliser. Les enquêtes montrent que chacun dispose de projets à réaliser s'il bénéficiait d'une année sabbatique. Méfions-nous tout de même qu'il n'y ait pas encore un grand écart de l'intention à la réalisation. Les formations initiales et permanentes, à but professionnel ou non, seront décisives à cet égard.

Pour ne prendre qu'un exemple, l'école nous paraît particulièrement mal adaptée à la préparation de l'an 2000. Il ne s'agit pas ici de la préparation à la vie professionnelle mais de la préparation aux 90 % du temps restant. L'école

173

ne peut se désintéresser des temps non professionnels sous peine de manquer à sa vocation éducative d'ensemble. L'école devrait être aussi une *école du temps*. C'est-à-dire qui favorise les choix et la prise des responsabilités. A travers l'école, l'enfant devrait apprendre la maîtrise du temps, or c'est probablement ce qu'il apprend le moins. Quelques écoles, dans les pays scandinaves notamment, pratiquent cette pédagogie du temps. Les succès scolaires ne s'en ressentent pas apparemment. Par contre, les aptitudes à la vie sociale, à l'utilisation inventive des temps libres, sont beaucoup plus développées comparativement à ce qui se passe dans les écoles « normales ». Ils sont sûrement mieux armés pour l'avenir.

L'école devrait aussi être *l'école des possibles*. Celle qui enseigne précisément que l'avenir peut avoir de multiples visages et qu'il faut en connaître beaucoup pour pouvoir choisir. Celle qui enseigne que la réalisation personnelle passera de plus en plus par des voies extra-professionnelles et qu'il existe de multiples intelligences à commencer par celle du jeu.

CHAPITRE VI

Démocratie 2000

Habitant d'un pays ou citoyen du monde ?

Le « local » ouvert aux quatre vents

Deux mouvements coexistent aujourd'hui. Le « renouveau » du local et l'ouverture sur le monde et même sur les autres planètes. Au fil des recensements, les villes se vident au profit des communes périurbaines, des petites villes et même des communes rurales. La reconquête du territoire a commencé.

Dans le même temps les économies sont de plus en plus intégrées les unes aux autres, les transports ne cessent de raccourcir les distances, et l'information nous fait vivre à l'heure de Los Angeles ou de Moscou. Deux mouvements en apparence contradictoires. Contradictoires, ils le sont effectivement aujourd'hui. Aux « branchés » la vie de citadins, l'ouverture planétaire, la mobilité, le goût des technologies nouvelles, le travail dans les grandes multinationales, le culte de la performance et de la compétitivité internationale. Aux « recentrés », un mode de vie plus calme, plus tourné sur la famille et l'environnement immédiat, la stabilité et l'enracinement local. Ce schéma, caricature des années 70 et 80, ne devrait pas être celui de l'an 2000. Le « local » d'après-demain ne ressemblera pas à celui d'aujour-

d'hui. Avec la décentralisation qui en est encore à ses premiers balbutiements, le « local » deviendra un moteur du
développement économique, social et culturel. Une grande
part de l'évolution viendra du « bas », de la multiplicité des
expérimentations locales qui pourront se diffuser à la vitesse
de l'électricité grâce aux nouvelles technologies de la communication. Le rapport ne se fera plus seulement du haut
vers le bas, du national vers le local, du centre à la périphérie. La périphérie éclatera en une multiplicité de centres
reliés les uns aux autres communiquant aussi facilement
avec une ville étrangère, avec Paris ou avec une petite commune de la France profonde. C'est un développement mul-
tipolaire qui se prépare et l'ouverture au monde entier ne
fera que renforcer la diversité des développements locaux.
Internationalisme et localisme ne se contrediront plus, au
contraire chaque localité pourra tirer du monde entier les
expériences les plus appropriées au type de développement
qu'elle aura choisi. Pour paraphraser J. Jaurès on pourrait
dire « qu'un peu de localisme éloigne de l'internationalisme
mais que beaucoup de localisme y ramène ».

Le clocher et l'ordinateur

Au plan économique certaines entreprises ont déjà
devancé l'appel. Souvent parmi les plus performantes, opérant dans des secteurs de pointe, elles ont choisi de se décentraliser. Les primes à la décentralisation ou les facilités
accordées par telle ou telle collectivité locale n'ont pas été,
en général, leurs seules motivations. Souvent elles ont cherché à s'insérer dans le tissu de petites entreprises locales
développant des procédés originaux, se servant parfois de
technologies avancées mais sur une échelle très réduite. Elles
se sont servies de ce potentiel d'innovation tout en leur
ouvrant de nouveaux marchés. Il est parfois plus rentable
d'agir sur la « ressource » locale plus souple, plus malléa-
ble, que d'agir sur des grandes structures déjà constituées.
Ce faisant, elles ont alimenté une dynamique locale, pro-

posé des formations adaptées à leurs besoins et des débouchés en conséquence et se sont donc parfaitement intégrées à la population. Aujourd'hui chacun connaît des petites villes ou villages qui vivent au rythme de ces entreprises-phares qui leur ont permis un développement accéléré (certains villages sont passés directement du XIXe au XXIe siècle !) fondé sur l'identité locale et sur ses ressources. Certains villages de France vivent maintenant autant à l'heure japonaise ou américaine qu'à l'heure du clocher de leur église. Cette « relocalisation » des entreprises va à son tour accélérer les migrations vers les localités de plus petite dimension. Ceux qui étaient de simples *résidents* dans ces petites communautés qu'ils avaient choisies pour « la qualité de la vie » vont pouvoir devenir des *habitants* à part entière puisqu'ils pourront travailler sur place (sans parler du développement du télétravail !). Les « néo-ruraux », parfois rejetés par les ruraux « de souche », deviendront des citoyens de leur village à part égale puisqu'ils participeront tout autant au développement et à la vie locale. Cette réconciliation sera le fruit de la nouvelle alliance entre la haute technologie et l'écologie ; le travail à haut rendement et le mode de vie. C'est peut-être le petit miracle que nous réserve le XXIe siècle que de parvenir ainsi à réunir des contraires. On a toujours voulu opposer les entreprises travaillant pour le marché local et les entreprises implantées localement mais travaillant sur une dimension nationale ou internationale. Cette distinction est de moins en moins pertinente car le succès même de l'entreprise aux grandes dimensions dépend de la qualité de son insertion dans le contexte local, de sa capacité à le faire évoluer aussi tout en s'appuyant sur les réseaux locaux de production formels ou informels. Le développement local par l'unité qu'il représente est une source de bonne intégration économique et d'efficacité productive.

Communiquer dans la différence

Le niveau local occupe déjà une place prépondérante dans le développement social et culturel. C'est la municipalité qui a la charge essentielle de la politique d'animation par exemple. C'est à ce niveau que se forge l'identité culturelle et que se perpétuent les traditions. C'est l'aspect le plus évident (mais peut-être pas le plus important) du « renouveau » local. On ne compte plus les villes qui organisent leur propre festival et qui mettent l'accent sur leur spécificité culturelle, qui marquent leur différence. Malgré toutes les tentatives successives, on n'est d'ailleurs jamais parvenu à réduire le nombre de communes en France. Ce qui marque bien la force de l'attachement à l'identité locale.

Cet attachement devrait encore progresser à l'avenir avec l'augmentation du temps libre et la plus grande disponibilité de chacun pour se consacrer aux « affaires » locales. La participation au temps d'utilité sociale, à l'organisation de services collectifs renforcera encore l'identité locale. Or, nous l'avons dit, ces activités de services (information, éducation, santé, loisirs, etc.) représenteront une part essentielle dans le développement et l'économie de demain. Ces secteurs sont précisément ceux dans lesquels l'identité locale peut s'affirmer et s'épanouir le plus librement. Moins l'État interviendra pour proposer des solutions toutes faites au nom du service public, plus les collectivités seront amenées à s'organiser, à trouver des solutions originales à leurs problèmes, plus cela produira de l'identité locale.

Mais n'y a-t-il pas un grand risque à s'enfermer sur cette identité locale, à vivre « entre soi » et à se couper des autres ? La réalité semble prouver le contraire. Les communes qui ont entrepris de cultiver leur différence, de renouer et de développer sous des formes modernes leurs traditions sont précisément les plus « exportatrices » culturellement parlant.

Ce qui vérifie un principe cher aux sciences de l'information : c'est dans la différence que l'on communique et non dans la redondance. D'ailleurs, sous l'impulsion d'organismes comme la FMVJ[1], les activités de jumelage ne se sont jamais aussi bien portées. Les échanges culturels aujourd'hui, et plus encore demain, sont fréquemment le prélude à des échanges économiques. Plus la composante culturelle sera importante dans l'économie et plus ces échanges s'avéreront indispensables. Les villes serviront de plus en plus d'intercesseurs dans le développement des relations économiques de pays à pays. Pas seulement au niveau des échanges commerciaux mais aussi au niveau des hommes. La diversification des technologies et de leur utilisation nécessitera de plus en plus une internationalisation de la formation. L'évolution technologique réclamera une plus grande mobilité. Les Japonais l'ont peut-être compris avant les autres et passent proportionnellement un temps beaucoup plus considérable à l'étranger. Cette formation se combinera avec l'essor du tourisme et avec les larges espaces de temps libre (style année sabbatique) dont nous disposerons à l'avenir. On sait que les voyages sont cités en premier quand on demande de quelle manière serait utilisée une éventuelle année sabbatique. Oui, pour toutes ces raisons, l'habitant d'un pays sera aussi citoyen du monde.

Scénario trop rose pour être vrai ? Peut-être. On ne saurait négliger le développement inégal de commune à commune, de pays à pays, de région à région.

Choisir son « pays »

Il sera nécessaire que l'État conserve son rôle de régulateur pour éviter le cumul des inégalités dans des régions spécialement déshéritées. A condition que ce ne soit pas un prétexte pour aplanir ces différences créatrices et conserver au pouvoir central son rôle de grand uniformisateur.

---

1. FMVJ : Fédération mondiale des villes jumelées.

Car la diversité locale ne fait que répondre à la diversification croissante des modes de vie. A l'autonomie croissante de chacun doivent pouvoir correspondre des modes d'expression différents suivant les localités. A l'avenir, vivre dans une commune ou dans un « pays » ne sera plus seulement une donnée (si ce n'est à la naissance) mais aussi un choix délibéré. L'enracinement local sera d'ailleurs d'autant plus fort qu'il résultera d'un libre choix. Encore une fois la mobilité n'exclut pas l'enracinement, bien au contraire. Les plus enracinés dans un « pays » ne sont pas forcément les natifs de ce pays.

Solitude ou socialisations nouvelles ?

La solitude est considérée comme l'un des fléaux de cette fin de siècle. Il est vrai que les symptômes de cette maladie des temps modernes s'accumulent. Après l'urbanisation destructrice des liens sociaux traditionnels, l'isolement dans le travail industrialisé, l'hémorragie des grandes institutions collectives (églises, syndicats, partis politiques), c'est maintenant la famille, dernier refuge contre la solitude, qui tremble sur ses bases. Le nombre de mariages ne cesse de décliner, celui des divorces de progresser (plus de 98 000 pour la seule année 1983). De plus en plus de personnes vivent seules, c'est le cas de près de la moitié des Parisiens par exemple. Bien sûr ces indicateurs sont insuffisants pour mesurer la solitude réelle. Les célibataires ont parfois plus de relations sociales que les personnes mariées. Il n'empêche que ces symptômes sont alarmants et que le sentiment de solitude a tendance à croître. Ils sont sans doute graves pour l'équilibre de l'individu lui-même, ils peuvent l'être aussi pour l'avenir de la démocratie. *Démocratie qui repose autant sur la faculté à créer des liens sociaux et des structures collectives, bref sur la capacité à vivre ensemble, que sur la prétendue liberté de chacun de vivre comme bon lui semble.*

Le face-à-face avec l'écran

Les facteurs qui risquent à l'avenir d'aggraver l'isolement et le sentiment de solitude sont nombreux. La réduction du travail dans le temps de vie risque d'entraîner une perte de socialisation. Sans parler du chômage que l'on suppose résolu par hypothèse ! L'évolution même de la nature du travail peut accroître l'isolement. De ce point de vue, les premières réactions à l'introduction de la bureautique sont plutôt négatives, les employés ayant l'impression d'être soumis à l'écran informatique et à un long tête-à-tête avec la machine qui isole de l'extérieur. Peut-être n'est-ce qu'une première réaction due à un refus plus ou moins conscient de changer ses habitudes de travail ou à une insuffisance de maîtrise de cette technologie qui, comme tout nouveau procédé, nécessite une période de « rodage ». Le développement du télé-travail et en particulier du télé-travail à domicile risque aussi de renforcer le sentiment de solitude.

L'augmentation du temps libre, résultant de la réduction du temps de travail, peut aussi être un facteur d'aggravation de l'isolement. On continue encore à considérer le temps libre comme bon en soi sans se soucier de l'utilisation qui peut en être faite.

La réalité est parfois très décevante quand elle conduit à l'isolement et au renforcement de la solitude. La télévision a été et reste la principale bénéficiaire de l'augmentation du temps libre. Il n'y a pas de raisons pour que cela change à l'avenir (nous sommes encore loin du taux d'écoute des Américains qui y consacrent presque moitié plus de temps que nous). Bien au contraire, la multiplication des programmes et l'explosion des technologies de communication qui nous sont promises accapareront un peu plus notre temps disponible. Si l'on peut s'inquiéter à juste titre du quasi-monopole de la télévision et de ses dérivés dans notre temps libre, on doit aussi prendre la mesure de la solitude que risque de produire le développement des techno-

181

logies de communication. On insiste beaucoup sur la future *interactivité* de ces nouvelles technologies et sur la participation active que chacun pourra prendre aux nouvelles formes de communication. Les premières expériences, qu'elles soient québécoises, américaines ou françaises, laissent dubitatif. La passivité face aux programmes est la règle, et même les magnétoscopes semblent moins utilisés qu'avant.

La solitude « clés en mains »

A l'avenir l'écran risque d'être encore plus envahissant. A la limite tous les actes qui font notre quotidien pourront être médiatisés dans une société à la Mac Luhan où la communication sera partout et les échanges réels nulle part. Le système des *télé-services* nous évitera tout déplacement mais aussi tout contact social. Télé-achats, télé-banque, télé-amour, télé-enseignement prendront la place de l'échange direct. A quand la télé-démocratie ? Le rêve tourne au cauchemar. Malheureusement il prend déjà une certaine consistance. Dernière mode à Los Angeles : la maison « autosuffisante ». Ordinateur pour les régulations internes (climatisation, sécurité, lumière), ordinateur pour les contacts avec l'extérieur (travail, services divers, banque de données), robots domestiques pour les travaux ménagers et pour l'entretien du sacro-saint gazon, sans oublier l'abri antinucléaire. Le dernier chic, un univers sur mesure où l'on est sûr de ne se heurter qu'à soi-même, la solitude « clés en mains ».

Solitude ou autonomie

Face à la solitude montante se manifestent des besoins de plus en plus vifs de relations sociales. D'autant plus vifs que le manque est important et que l'on pressent que l'avenir pourrait produire plus de solitude encore. La recherche d'autonomie des jeunes générations, dont certains pensent qu'elle conduit tout droit à un individualisme forcené et à une solitude renforcée, peut au contraire s'expliquer par une réaction à l'isolement de leurs aînés et par une recherche, certes désordonnée, de nouvelles formes de socialisation et de communication directe. Les multiples expériences qu'ils cherchent à vivre (union libre, groupes restreints, communautés) sont autant de réactions face à un ordre qui produit souvent du vide, de la solitude et une communication illusoire à travers les médias.

Les greffes qui réussissent

La fuite des grandes villes et le grand mouvement de « rurbanisation » qui est entamé expriment aussi la recherche de nouvelles relations sociales. On cherche à retrouver un mode de vie traditionnel et semi-rural dont on pense (parfois bien à tort !) qu'il était source de socialisation intense et de vie communautaire. L'aspiration à l'habitat individuel, aussi paradoxal que cela puisse paraître, participe de ce même mouvement. A l'évidence, la maison individuelle favorise des relations de voisinage que le « grand collectif » a détruites. Il est de l'individuel qui rapproche et du collectif qui isole. Les politiques locales de l'habitat sont déterminantes pour la socialisation de l'avenir. Autant les villes nouvelles ont été un échec relatif de ce point de vue, autant certaines opérations de greffe à partir d'un tissu urbain existant (petites villes ou villages) ont pu créer des réseaux denses de socialisation et revivifier une vie locale qui s'éteignait doucement. La formule de l'habitat intermédiaire [1] est aussi vraisemblablement promise à un bel avenir. Elle correspond en tout cas à une aspiration croissante de la population qui craint l'isolement de la maison individuelle ou qui n'a pas les moyens de faire construire. Ce type d'habitat est d'autant plus à encourager qu'il évite le « mitage »

---

1. L'habitat intermédiaire, ni individuel ni collectif, est un îlot de petites constructions sur un ou deux niveaux avec services collectifs à proximité.

du territoire et qu'il correspond le mieux aux futures fonctions productives de l'habitat de demain. Extension de l'économie domestique et de l'autoproduction au niveau d'un îlot, installation peu onéreuse d'ateliers collectifs, facilités de branchement sur le câble permettant le télé-travail, connexion avec les banques de données internationales ou plus simplement avec la télévision locale.

Les technologies conviviales

Le secteur de l'autoproduction et du gros bricolage ouvre de larges horizons aux technologies de pointe à base d'électronique et d'informatique. Une révolution est sûrement à attendre dans l'ordre de ces technologies du quotidien. Ces techniques sophistiquées qui donneront de nouvelles armes à la petite production collective seront coûteuses et leur utilisation se fera vraisemblablement de manière collective, un peu à la manière des grosses machines agricoles qui vont d'exploitation en exploitation. La formation qu'elles nécessitent sera une occasion supplémentaire d'échanges et de contacts au niveau de petites communautés réunies dans un projet commun. En ce sens les technologies nouvelles, à condition qu'il y ait une impulsion de départ par la politique locale, peuvent être des *multiplicateurs sociaux* par la création de nouveaux réseaux d'exploitation. La diffusion même de ces nouvelles technologies qui fonctionnent « en étoile » nécessite la constitution de tels réseaux.

La socialisation « à géométrie variable »

Enfin la socialisation dépend pour une part du niveau de formation de chacun, du niveau « culturel » général qui détermine la faculté de communiquer. L'élévation continue de ce niveau général peut être un facteur d'ouverture aux autres et de renforcement de la socialisation. Elle est aussi facteur d'autonomie grandissante. Mais la contradiction entre autonomie et socialisation n'est qu'apparente.

Comme pour le localisme et l'internationalisme. L'un peut renforcer l'autre. Mais cela donnera de nouvelles formes de socialisation de plus en plus éloignées des relations sociales traditionnelles. Il s'agira d'une socialisation *choisie*, et *changeante*.

Choisie parce qu'il sera de plus en plus possible de choisir sa propre manière de vivre, ses lieux d'investissement privilégiés et donc les personnes et les réseaux qui en permettent une expression commune.

Cette socialisation choisie risque aussi d'être changeante si elle n'est plus assise sur des bases institutionnelles fortes comme l'était la famille traditionnelle par exemple.

C'est là tout le problème. Car derrière ces nouvelles socialisations se profile une forte dose d'instabilité sociale, une difficulté à structurer des relations durables, à créer des points de repère fixes indispensables à l'affirmation de l'identité de chacun. Mais peut-être n'est-ce qu'une préoccupation d'homme du XXe siècle arc-bouté sur un modèle type de socialisation (la famille pour ne pas la nommer). La crise d'aujourd'hui est une crise de transition. Nous voyons bien les socialisations qui nous échappent de plus en plus (famille, travail, etc.) et nous sommes pour la plupart peu préparés à vivre d'autres modes de socialisation. Après des années de désocialisation progressive, l'individu est rendu à lui-même. Après ce face-à-face il faudra bien se tourner vers les autres et reconstruire de nouvelles relations sociales, il y va de l'avenir de la démocratie.

Quelles forces sociales pour demain ?

La décentralisation : devoir d'État

A l'évolution des relations sociales et des modes de socialisation doit correspondre une évolution des institutions qui puisse accompagner ces changements. A commencer par l'État qui est l'institution prédominante.

185

C'est encore au niveau de l'État que s'agrège l'ensemble de la demande sociale. Cette demande ne fait qu'augmenter avec la crise et avec l'orientation croissante de l'économie vers des services (santé, formation, environnement, loisirs par exemple). Or, l'État peut de moins en moins faire face et les mécanismes de redistribution sont durablement bloqués. C'est pourquoi la décentralisation apparaît si urgente afin de redonner le pouvoir nécessaire aux institutions intermédiaires. L'importance renforcée des collectivités locales permettra sans doute une meilleure expression de la demande sociale, et l'élaboration de solutions adaptées.

On voit bien que s'il y a vide institutionnel, même relatif, on assiste à l'éclosion de mouvements spontanés plus ou moins ponctuels, sans aucune régulation interne ni externe puisqu'il n'y a pas d'interlocuteurs au niveau où il le faudrait. Ces mouvements spontanés luttent parfois pour le bien commun mais peuvent en d'autres cas dégénérer en groupes d'autodéfense ou en social-corporatisme dont la nature est en fin de compte similaire. « La nature a horreur du vide », dit-on. Craignons qu'en l'absence de régulations et d'instances adaptées certains de ces mouvements ne finissent par remettre en cause l'État lui-même.

Démocratie à reconstruire

Décentraliser ne suffira pas. Encore faudra-t-il faire vivre les institutions décentralisées en développant la participation sociale.

Le détour par l'individu et le local s'avère urgent et indispensable. L'avenir est à la recherche de nouveaux lieux d'agrégation des intérêts collectifs. Il est clair que le travail, qui était le lieu privilégié d'agrégation des intérêts et source des institutions les plus fortes de notre société, ne sera plus l'unique centre de gravité sociale. C'est de la démocratie du quotidien dont il s'agit et le travail n'en est qu'une partie. Jouer sur les associations ? Certes ? Mais les grandes associations nationales sont parfois victimes de leurs

idéologies, de leur messianisme et de leur bureaucratie cal-
quée sur le modèle de l'État. Partir des associations locales
qui retrouvent une très réelle vivacité, les aider à dépasser
leur strict intérêt pour participer à l'ensemble des décisions
locales, sans doute. Mais combien d'élus locaux sont réellement prêts à jouer le jeu ? Victimes eux-mêmes des facilités de la centralisation, ils préfèrent souvent s'abriter derrière
le paravent de l'État plutôt que d'affronter des situations
sur lesquelles, il est vrai, ils n'ont pas l'entier pouvoir de
décision. La décentralisation fait aujourd'hui un peu figure
de « potion magique » et il est certain qu'elle peut stimuler
une vie associative prenant en charge une large part du développement local. Mais la participation à la vie associative
reste, on le sait, assez faible en France en comparaison de
celle de nos voisins. Il faut sans doute partir de plus bas
encore et aller chercher les groupes « informels » pour leur
donner de nouveaux moyens d'action et de participation.
Certaines municipalités ont été assez imaginatives pour trouver ces nouveaux moyens de participation. Comités de quartier, commissions extra-municipales, procédures de
consultation directe et même référendum, les techniques
d'action locale ne manquent pas. On en connaît insuffisam-
ment les résultats. Ils seraient pourtant bien utiles pour alimenter le débat institutionnel et éclairer l'avenir. Car il y
a bien des municipalités où « ça marche » et qui présentent
des « modèles réduits » de démocratie dont on pourrait s'ins-
pirer à l'échelon national. L'avenir de la démocratie est peut-
être déjà inscrit en germe dans cette myriade d'expressions
locales ; il faut savoir les déchiffrer.

Syndicats : le virage vers l'avenir

Mais on ne peut s'en tenir à l'échelon local. Toutes les
démocraties locales ne suffiront pas à créer une démocratie
tout court. Les mouvements sociaux ne peuvent se cantonner au particularisme local ou à la protection de minorités.
La démocratie fonctionne sur le principe de la majorité et

du plus grand dénominateur commun. Le syndicalisme par exemple pourrait trouver une nouvelle jeunesse dans d'autres secteurs de la vie sociale. En témoigne la tentative de créer un authentique syndicalisme du cadre de vie dont l'objet est assez large pour représenter des forces sociales d'importance. Cette préoccupation n'est pas étrangère à certains syndicats qui cherchent à élargir leur action et à devenir des partenaires sociaux à part entière et non plus seulement partenaires du monde du travail. Ne serait-ce que parce que les formes du travail de l'avenir déborderont de plus en plus le cadre strict des entreprises.

La médiation associative

A côté de ce syndicalisme « new look », les grandes fédérations associatives pourraient aussi jouer un rôle institutionnel important à l'avenir. A condition qu'on ouvre grandes les portes des organismes publics (conseils économiques, sociaux et culturels) et qu'elles ne soient pas là pour faire de la figuration et apporter une caution à bon compte.

Le rôle des associations de consommateurs en particulier est capital pour l'avenir. La réussite de la révolution technologique dépend de sa bonne assimilation dans la vie quotidienne. Ces associations sont un trait d'union indispensable entre les consommateurs et les choix industriels. On peut d'ailleurs s'étonner qu'elles ne se fassent pas mieux entendre à un moment où se décident les futures technologies de communication. On les considère trop souvent comme des freins au développement industriel. Faut-il rappeler qu'aux États-Unis, où la croissance est aujourd'hui la plus forte, les associations de consommateurs sont aussi les plus puissantes ? Elles sont à l'évidence un guide précieux pour opérer les bons choix. Or, plus les innovations technologiques se multiplieront, plus elles nécessiteront adaptation et formation pour une bonne diffusion et plus ces associations auront de l'importance. Les associations sont un pilier indispensable au développement d'une société fondée sur l'idée de contrat qui nécessite une expression organisée des différentes parties prenantes.

Préparer la démocratie 2000

Mais où est donc passée l'instruction civique?

Ce sont les jeunes d'aujourd'hui qui feront la démocratie de demain. Peut-on seulement apprendre la démocratie? Oui, mais pas uniquement à travers des disciplines académiques, qui sont d'autant plus valorisées qu'elles sont abstraites. Il faudrait ici faire un « plaidoyer pour une éducation civique défunte ». Et réintroduire d'urgence cette science très concrète des institutions et de la participation sociale [1]. Plus la démocratie avance, plus ses rouages deviennent complexes, plus il importe de les comprendre pour pouvoir agir efficacement. D'autant que l'on demandera de plus en plus aux adultes de demain d'inventer eux-mêmes les structures de la vie collective et les nouvelles formes de la communication sociale. Il y aurait là plus qu'un exercice pédagogique d'imagination du futur.

L'école peut être elle-même un terrain d'expériences et d'élaboration de la vie démocratique. Comme pour le sport, les apprentissages nécessaires à la démocratie doivent s'acquérir très tôt. C'est le sens du développement des temps optionnels, par exemple, qui obligent l'élève à exercer des choix et à mesurer très jeune sa responsabilité. Il n'y a pas besoin de chercher très loin comment « remplir » ces temps optionnels quand on sait la place essentielle que vont prendre les activités domestiques, l'autoproduction, les loisirs ou l'information. L'information devrait d'ailleurs s'entendre de manière active et permettre l'acquisition de ces nouveaux langages qui, outre l'informatique, concernent aussi

---

1. Sans doute faudrait-il commencer par former les maîtres eux-mêmes !

la manière de s'exprimer dans les médias. Le développement des médias communautaires dépendra de l'aptitude des jeunes d'aujourd'hui à être aussi à l'aise d'un côté ou de l'autre de l'écran. L'« inter-activité » ou communication bilatérale est peut-être ce que l'on apprend le moins dans les écoles d'aujourd'hui. L'information est trop souvent à sens unique.

La démocratie dans la rue?

Il faut réhabiliter le temps « extra-scolaire ». Sait-on que pour 155 jours de classe, l'élève dispose de 210 jours de congé? Ce temps extra-scolaire était autrefois beaucoup mieux intégré dans une action éducative d'ensemble dont l'instituteur symbolisait l'unité. Il participait aussi bien à l'instruction scolaire proprement dite qu'aux loisirs des enfants, à des activités « d'éveil » dirait-on aujourd'hui. Le milieu urbain, les établissements surdimensionnés, le manque d'enseignants ont peu à peu affaibli le lien privilégié entre l'enseignant et l'enfant. C'est de plus en plus aux familles qu'échoit la responsabilité d'organiser (ou non!) le temps extra-scolaire de leurs enfants. Cette coupure avec le milieu éducatif contribue à isoler un peu plus l'école sur elle-même, à la couper d'activités extérieures appréciées par les enfants. Pourtant ces activités sont plus essentielles que jamais pour l'enfant qui y apprend à valoriser son temps libre qui, rappelons-le, représentera de très loin le temps le plus important dans l'existence à l'horizon 2000.

Schiltigheim en tête du hit-parade

Au-delà de l'institution éducative, ou en liaison avec elle, la vie locale devrait s'ouvrir beaucoup plus largement aux enfants. Pas seulement par la création d'équipements ou d'associations adaptés à leurs besoins. Il s'agirait plutôt d'une vraie participation à la gestion et aux décisions qui les concernent. A cet égard il faut saluer la remarquable initiative de la ville de Schiltigheim dans le Bas-Rhin. Elle a en effet décidé d'instituer un véritable *conseil municipal d'enfants*. Loin d'être un « gadget », ce conseil municipal junior est composé de représentants régulièrement élus, se réunissant dans la salle du conseil municipal en présence du maire, avec des séances ouvertes au public, possédant un très réel pouvoir de décision. Au début on s'est cantonné aux sujets intéressant directement les enfants : l'école, la cantine, les espaces de jeux, etc. De fil en aiguille on en est venu à parler de la circulation, de l'urbanisation, des implantations commerciales, bref de tous les sujets dont un conseil municipal traite ordinairement. Avant l'heure les jeunes Schiltikois se sentent citoyens à part entière de leur commune. La vie locale grandeur nature comme école de la démocratie, voilà une belle réussite.

L'école au centre de l'animation locale ?

La formation concernera de moins en moins exclusivement les jeunes. Nécessité de formations professionnelles à répétition tout au long de la vie mais aussi formations générales ou techniques à usage du quotidien. Sera-t-il possible d'opérer des distinctions tranchées entre ces formations quand le quotidien se « professionnalisera », quand l'économie envahira l'univers domestique, quand les technologies de pointe deviendront d'un maniement usuel ? La formation est un tout et les divers apprentissages se confortent les uns les autres. Certaines entreprises l'ont bien compris et facilitent les formations « à la carte », sachant le profit qu'elles en retireront tôt ou tard.

L'irruption des technologies nouvelles au quotidien peut servir la démocratie si l'on sait s'appuyer sur des structures de diffusion proches de la population. Les associations représentent un formidable potentiel de formation dans notre pays. Une politique nationale de la formation ne peut se passer de leur concours. Par leur souplesse et leur diversité, elles sont capables de réunir autour d'une même table

191

des générations qui se forment les unes les autres (demain, qui formera qui ?), d'y ajouter ce qu'il faut de formateurs et d'animateurs professionnels et de réaliser une formation vivante. Elles seules peuvent forcer les portes de l'école qui restent encore désespérément closes les cours terminés. L'ouverture de l'école restera aujourd'hui comme demain le symbole d'une démocratie vivante.

CONCLUSION

Par définition il n'y a pas de véritable conclusion à tirer d'un livre qui a pris l'avenir des modes de vie pour cible. C'est l'action présente et future de chacun de nous qui seule apportera la réponse aux quelques questions que nous avons posées. Certaines questions se sont transformées en affirmations, que le lecteur veuille bien rectifier de lui-même et considérer qu'il s'agit d'hypothèses pour engager le débat.

Car moins que jamais nous ne sommes sûrs de l'avenir. Nous pensons moins ici aux aléas de la conjoncture économique et de la croissance qu'aux nouveaux pouvoirs rendus à l'individu sur son temps, sur sa manière de vivre, d'organiser son travail ou ses loisirs. L'avenir collectif est de plus en plus soumis à la multitude des avenirs individuels. L'Histoire s'écrira au pluriel. Les institutions sont de moins en moins capables de nous éclairer sur l'homme de demain qui glisse et échappe à leurs pouvoirs pour affirmer bien haut son identité. «Plus va l'Histoire, plus les gens la font, et moins ils savent quelle histoire ils façonnent», a-t-on écrit.

«Au commencement était la croissance», tel était notre point de départ. De ce fil d'Ariane on pouvait déduire les comportements, les aspirations, les valeurs, les styles de vie.

Cette référence commune, solidement assise sur ses chiffres et ses courbes, est de moins en moins explicative de l'évolution sociale. La vraie croissance se fait aussi hors de la croissance officielle, hors des circuits traditionnels et ne se laisse plus si facilement appréhender. L'homme de demain passera encore moins de temps dans les circuits officiels d'aujourd'hui pour consacrer son temps à son propre développement, cocktail de temps libre et de microtechnologies.

Mais attention, ce livre est aussi une mise en garde. A la dérive institutionnelle correspond une dérive des socialisations qui avaient assuré jusqu'ici la cohésion sociale. En l'absence de nouveaux liens sociaux et de nouvelles formes de vie collective, l'autonomie conduit l'individu à sa perte ou au retour en force des nostalgiques d'un ordre ancien.

A sa nouvelle liberté, l'homme de demain doit ajouter une patiente reconstruction d'un tissu social éclaté et trouver la voie d'une nouvelle croissance économique et sociale. Il ne s'agit pas d'une prévision mais d'une incitation, mieux d'une urgence.

ANNEXES

1. TAUX D'ÉQUIPEMENT DES MÉNAGES

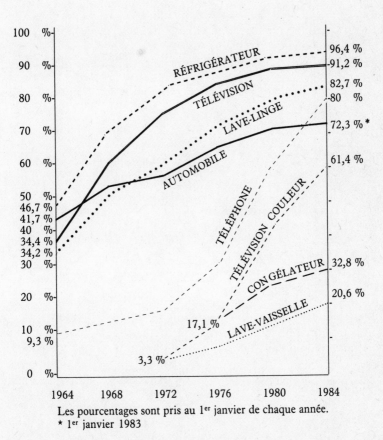

Les pourcentages sont pris au 1er janvier de chaque année.
* 1er janvier 1983

Source : Centre d'études et de documentation pour l'équipement du foyer

2. ÉVOLUTION DES EFFECTIFS DES ENSEIGNEMENTS SUPÉRIEURS
(classes supérieures des lycées, universités et I.U.T., grandes écoles)

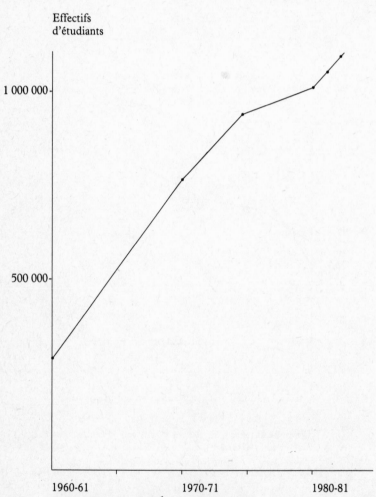

Source : Ministère de l'Éducation Nationale
Repères et références statistiques 1984

3. POPULATION URBAINE ET POPULATION RURALE EN FRANCE DEPUIS 1700

Année	Population rurale	Population urbaine
1700	84 %	16 %
1801	77 %	23 %
1846	75 %	25 %
1872	68 %	32 %
1901	59 %	41 %
1931	48 %	52 %
1946	47 %	53 %
1975	32 %	68 %
1982	27 %	73 %

4. POPULATION ACTIVE PAR SECTEUR D'ACTIVITÉ
EN 1931, 1946 et 1975
(en millions)

Secteur	1931	1946			1975			1982		
		Total	H	F	Total	H	F	Total	H	F
Primaire :										
Agriculture, pêche, sylviculture	7,7	7,5	4,2	3,3	2,1	1,5	0,6	2,1	1,5	0,6
Secondaire :	7,3	6,0	4,4	1,6	8,0	6,1	1,9	7,4	5,7	1,7
Indust. extractives	0,5	0,4	0,4	0,0	0,1	0,1	0,0	0,1	0,1	0
Indust. manufact.	5,6	4,5	3,0	1,5	5,9	4,1	1,8	5,3	3,7	1,6
Construction, bâtiment, travaux publics	1,1	1,0	1,0	0,0	1,9	1,8	0,1	1,8	1,7	0,1
Eau, gaz, électricité	0,1	0,1	0,1	0,0	0,2	0,2	0,0	0,2	0,2	0
Tertiaire :	6,3	6,2	3,6	2,6	10,8	5,7	5,1	12,3	6,2	6,1
Transports	1,2	1,2	1,0	0,2	1,3	1,0	0,3	1,3	1	0,3
Commerces et services	2,8	2,4	1,3	1,1	5,5	2,8	2,7	6,6	3,2	3,4
Administration, enseign., banque, assurances	2,4	2,6	1,3	1,3	4,0	1,9	2,1	4,4	2	2,4
Activités mal désignées :	0,3	0,8	0,4	0,4	0	0	0	0	0	0
TOTAL	21,6	20,5	12,7	7,8	20,9	13,3	7,6	21,8	14,4	8,4

Source : J. Fourastié et recensement de 1982.

5. ÉVOLUTION DE LA STRUCTURE DES DÉPENSES DES MÉNAGES
(Coefficients budgétaires en %)

	1959	1970	1975	1980
Alimentation	34,1	27,1	23,9	21,5
Habillement	8,6	8,6	7,8	6,7
Logement	11,9	14,5	14,9	16,7
Équipement du logement	10,1	10,0	10,6	9,7
Santé	7,2	9,8	11,8	12,4
Transports	8,9	11,6	11,7	13,5
Loisirs - Culture	5,4	6,2	6,8	6,6
Divers	13,8	12,2	12,5	12,9
TOTAL	100 %	100 %	100 %	100 %

Source : Comptes de la Nation 1983.

6. PRINCIPALES LOIS CONCERNANT LE TEMPS DE TRAVAIL

1841 : Interdiction d'employer les enfants de moins de 8 ans.
Réduction de la durée du travail à 8 heures pour les enfants de 8 à 12 ans.
Réduction de la durée du travail à 12 heures pour les adolescents de 12 à 16 ans.

1892 : Réduction de la durée du travail à 11 heures pour les femmes et les enfants.
Réduction de la durée du travail à 12 heures pour les hommes.

1906 : Institution du repos hebdomadaire.

1912 : Réduction de la durée du travail à 10 heures.

1936 : Réduction de la durée du travail à 40 heures hebdomadaires.
Première loi sur les congés payés (12 jours ouvrables).

1959 : Institution de l'obligation scolaire jusqu'à l'âge de 16 ans.

1982 : Réduction de la durée du travail à 39 heures hebdomadaires.
Généralisation de la 5e semaine de congés payés.
Retraite à 60 ans.

7. DURÉE HEBDOMADAIRE MOYENNE DU TRAVAIL

En heures

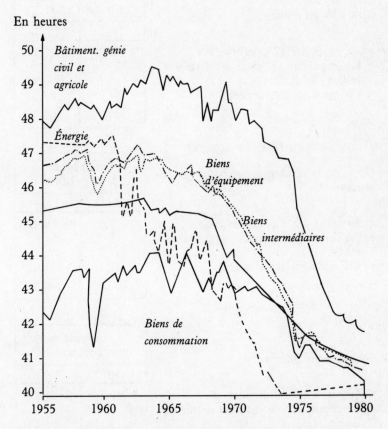

Source : Ministère du travail, Données corrigées de variations saisonnières.

8. PRATIQUES CULTURELLES DES FRANÇAIS

1. THÉÂTRE.

Sont allés au théâtre...

	Ensemble de la population	
	1981	1973
• Au cours des 12 derniers mois	% 10,3	% 12,1
• Pas depuis un an, mais ces dernières années	5,7	3,8
• Pas ces dernières années	84,0	84,1
	100,0	100,0

2. CONCERTS DE GRANDE MUSIQUE.

Ont fréquenté des concerts de grande musique...

	Ensemble de la population	
	1981	1973
• Au cours des 12 derniers mois	% 7,5	% 6,9
• Pas depuis un an, mais ces dernières années	4,2	2,1
• Pas ces dernières années	88,3	91,0
	100,0	100,0

3. CINÉMA.

Sont allés au cinéma...

	Ensemble de la population	
	1981	1973
• Au cours des 12 derniers mois	% 49,6	% 51,7
• Pas depuis un an, mais ces dernières années	12,1	6,7
• Pas ces dernières années	38,3	41,6
	100,0	100,0

Source : *Pratiques culturelles des Français,*
ministère de la Culture, 1982.

9. LA DIFFUSION DES VACANCES : ÉVOLUTION DU TAUX DE DÉPART EN VACANCES

	1964	1965	1969	1970	1975	1976	1977	1978	1979	1980	1981	1982
Sur l'ensemble de l'année	43,6	—	45,0	—	52,5	54,0	53,3	54,3	56,0	56,2	57,2	57,8
En vacances d'hiver	—	—	—	—	17,1	18,1	17,9	20,6	22,1	22,7	23,8	24,6
En vacances d'été	—	41,0	—	44,6	50,2	51,6	50,7	51,7	53,3	53,3	54,3	54,5

Source : Enquêtes vacances.

10. LA COHABITATION HORS MARIAGE

Couples non mariés	1975 Effectifs	1981 Effectifs	1975 %	1981 %
— où l'homme a moins de 35 ans	155 000	400 000	5,0	11,0
— où l'homme a plus de 35 ans	256 000	310 000	2,9	3,3

Source : Enquêtes emploi d'avril 1975 et mars 1981.

11. ÉVOLUTION DES MISES EN CHANTIER PAR TYPE DE CONSTRUCTION

1 000 logements, rythme moyen annuel

Total annuel	1978	1979	1980	1981	1982	1983	1984
Maisons	278	281	266	251	220	219	
Immeubles	182	148	134	149	123	114	

----- Immeubles   —— Maisons

Source : DAEI/SIROCO

12. NOMBRE DE CRÉATIONS D'ASSOCIATIONS
PAR ANNÉE
(Évaluation approximative)

— 1908	5 000
— 1937	9 311
— 1960	12 633
— 1969	20 256
— 1972	26 112
— 1976	25 380
— 1977	32 781
— 1978	34 690
— 1980	30 226
— 1981	33 704
— 1982	39 437

Source : Ministère de l'Intérieur

13. PARTICIPATION A LA VIE ASSOCIATIVE

	Ensemble de la population étudiée	
	1981 %	1973 %
— Font partie d'une association, d'un club ou d'une autre organisation	23,4	19,5
... de plusieurs	8,2 ⟨31,6 %⟩	8,5 ⟨28,0 %⟩
— Ne font partie d'aucune .	68,4	72,0
	100,0	100,0
— Activités principales de ces organisations :		
• Artistique	1,9	2,3
• Culturelle	4,1	3,2
• Sportive	14,5	9,9
• Parents d'élèves	2,4	2,2
• Religieuse	2,2	2,0
• Éducative (mouvement de jeunesse)	1,5	0,9
• Politique	1,5	0,7
• Syndicale	4,2	3,6
• Autre	8,5	2,9

Source : Pratiques culturelles des Français, ministère de la Culture, 1982.

14. EMPLOI, POPULATION ACTIVE ET CHÔMAGE
(1955-1985)

Effectifs en million

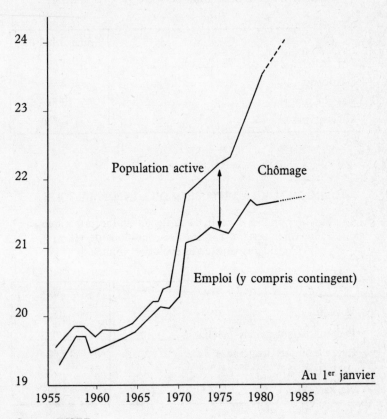

Source : INSEE.

15. PROGRÈS SCIENTIFIQUES ET AMÉLIORATION
DE LA VIE QUOTIDIENNE

Dans quelle mesure les découvertes scientifiques
et leur utilisation vous paraissent-elles
conduire à une amélioration de votre vie quotidienne?

	Année 1983 (%)
Un peu	54 %
Beaucoup	32 %
Pas du tout	13 %
Ne sait pas	1 %

OPINION SUR LA DIFFUSION DE L'INFORMATIQUE

Au cours des années à venir, la diffusion de l'informatique va
modifier certains aspects des conditions de vie.
Considérez-vous cette évolution comme :

	Année 1983 (%)
Souhaitable	34 %
Peu souhaitable, mais inévitable	48 %
Regrettable et dangereuse	15 %
Cela dépend	—
Ne sait pas	3 %

Source : Enquête CREDOC, année 1983.

212

16. LE COMBINÉ DE LA MAISON DE DEMAIN

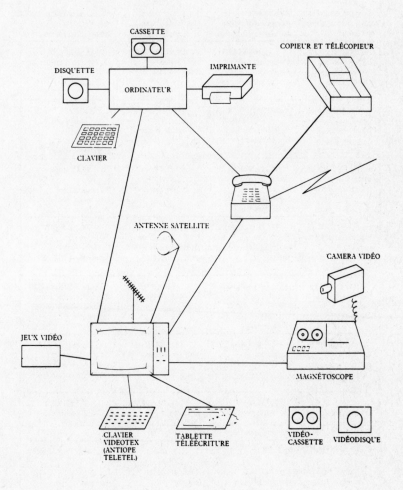

17. LES TÉLÉ-SERVICES DE L'AN 2000

TÉLÉNERGIE Saisie et contrôle des consommations en énergie	**EUROPHONE** Radiotéléphone de poignet, normalisé au niveau européen	**BADGE UNIVERSEL D'IDENTIFICATION** Un laissez-passer électronique (voir aussi ci-dessous)	**TÉLÉDACTYLO** Entrez sans frapper, grâce à la reconnaissance de la parole
IMAGES 2D 1/2 Pour ceux qui veulent changer de point de vue	**TÉLÉSECOURS** Détection individuelle de situation de danger et localisation	**TÉLÉCONTROLE** Localisation des individus	**TÉLÉCONCEPT** Le bureau d'études à l'ère de la vidéomatique
TÉLÉANALYSE Détection de pollution, de produits toxiques	**DÉSIGNATION VOCALE DU DEMANDÉ** Enterré le cadran, fini le clavier	**TÉLÉDIAGNOSTIC** En cas de panne de la domestronique	**TÉLÉTRADUCTION SIMULTANÉE** Une meilleure compréhension entre les peuples
TÉLÉMOULE 3D Fac-similé tridimensionnel	**TÉLÉANIMATION** Dame de compagnie, baby-sitter boute-en-train...	**APPELS RAPIDES** Une garantie de courte durée	**TÉLÉ-ORD** Si tous les ordinateurs du monde voulaient se donner la main
TÉLÉNETTOYAGE Nettoyage automatique d'immeuble à supervision centralisée	**TÉLÉRECHERCHE** Recherche et appel de personnes	**TÉLÉJUKE-BOX** Chansons et musique au téléphone, avec la version télé-hifi	**TÉLÉSCRIPT** Pour les handicapés, la conversion parole-écrit-Braille
TÉLÉDÉCORATION Un nouvel art cinétique et musical chez soi	**TÉLÉMAINTENANCE** Réparation à distance Système couplé au télédiagnostic	**TÉLÉVOTE** La démocratie électronique	**TÉLÉDISPONIBILITÉ** Pour être appelé ou rappelé quand on le souhaite
TÉLÉCOUPLE Le mariage par vidéomatique. Une nouvelle forme de CAO	**TÉLÉOPTIMISATION** Résoudra tous vos problèmes	**TÉLÉSONDAGE** Voir au-dessus	**TÉLÉLOGICIEL** Pour utiliser votre calculatrice de poche connectée au réseau
TÉLÉJEUX Jeux vidéo interactifs, individuels ou collectifs	**TÉLÉCOMMANDE** Généralisation du réveil téléphoné automatique	**INTERCADEAU** N'envoyez pas que des fleurs...	**TÉLÉPUCES** Marché télématisé de l'occasion, de l'emploi, etc.
TÉLÉTRAVAIL Le travail en équipe chez soi (cf. travail à domicile)	**TÉLÉTHÈQUE** Consultation de livres, documents, journaux, etc.	**VIDÉO-CONFÉRENCE** Couleur, hi-fi, graphismes, au niveau européen	**TÉLÉPOSTE** La télécopie au futur

BISON FUTÉ Version vidéotex et accessible du véhicule	**MÉTÉOCULTURE** La prévision météo- rologique au service de l'agriculture	**TÉLÉARCHIVAGE** Pour économiser le papier... et la place (cf. téléthèque)	**TÉLÉCHÈQUE** Carte de paiement électronique
TRAVAIL A DOMICILE Avec assistance télématique (cf. télé-travail)	**TÉLÉSANTÉ** Médecine préventive informatisée	**TÉLÉ- SURVEILLANCE** Vidéosurveillance à usages divers : familial, social, industriel...	**TÉLÉALARME** Réseau national de détection de sinistre et d'alarme
VIDÉOVILLAGE Studio d'immeuble	**BIG ou BIM** Badge individuel génétique ou médi- cal (voir télésanté)	**TÉLÉ- RENSEIGNEMENTS TÉLÉCONSEIL** A partir de banques de données ou d'un groupe d'experts	**TÉLÉ- ENSEIGNEMENT** La formation continue
TÉLÉTAXI Location de voitures informatisée	**TÉLÉMÉTÉO** Un service en temps réel	**APPEL AUTOMATIQUE DE PERSONNES** Il y a un numéro à l'abonné que vous avez demandé (bis)	**FILTRAGE AUTOMATIQUE** La liberté vis-à-vis du téléphone
TÉLÉBOURSE Système informatisé d'échanges d'objets et d'informations (cf. téléannonces, télétroc)	**TÉLÉPROGRAMME** Des programmes de télévision aux enchères	**TÉLÉANNONCES** Petites annonces en vidéotex (cf. télé- bourse et télétroc)	**TÉLÉRÉSERVATION** Spectacles, hôtels, transports avec paiement automatique
TÉLÉMERCURIALE pour grossistes SNTPD Service national télématisé des prix de détail	**TÉLÉFORUM** Conférences-débats par téléphone	**TÉLÉTROC** Marché de l'occasion couplé aux télé-annonces	**TERMINAL PÉDAGOGIQUE** Vous apprendra à utiliser tous les autres terminaux
TAMTAM Votre numérotation abrégée, à la carte	**PCV AUTOMATIQUE** Comme son nom l'indique	**TÉLÉSHOP** Vidéodiscatalogue et achats automatiques par téléphone	**TÉLÉOTOMAT** Relevé de tous compteurs à distance

D'après Télécommunications objectif 2000, *Groupe de prospective sous la direc-tin d'A.* GLOWINSKI, *Dunod, 1983.*

18. LE « BUDGET TEMPS » D'UN FRANÇAIS MOYEN
EN 1800, 1900 ET 2000

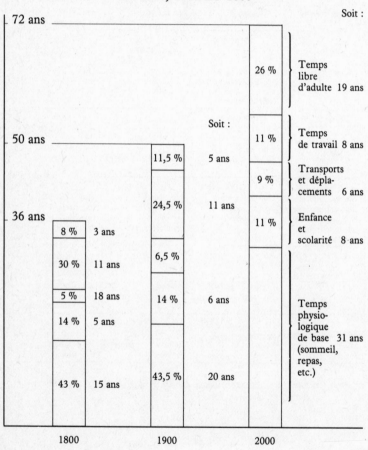

Source : Prospective Hebdo, 1981.

19. LES MÉTIERS DE L'AN 2000

SECTEUR PRIMAIRE

— bio-ingénieur
— bio-technicien
— agriculteur «multiplicateur de semence»

SECTEUR SECONDAIRE

• *Automobile, construction aéronautique, construction navale*

— ingénieur spécialisé CAO*
— ingénieur assurance qualité
— dessinateur-projeteur

• *Industries agro-alimentaires*

— ingénieur études et développement
— ingénieur commercial export
— technicien maintenance
— ingénieur process
— ingénieur agro-alimentaire
— ingénieur spécialiste CAO
— ouvrier qualifié
— électronicien

• *Bâtiment et travaux publics, matériel de construction*

— ingénieur de fabrication
— ingénieur cost-control
— technico-commercial export
— technicien en régulation thermique-isolation
— conducteur de travaux
— dessinateur assisté par ordinateur
— électronicien

---

* Conception assistée par ordinateur.

- *Bois, ameublement, papier, carton*
  - ingénieur assurance qualité
  - agent de maintenance-automaticien

- *Industrie électrique et électronique*
  - ingénieur-concepteur micro-système
  - ingénieur cost-control
  - ingénieur technico-commercial export
  - technico-commerciaux
  - dessinateur-projeteur
  - technicien maintenance

- *Chimie, caoutchouc, industrie pharmaceutique, pétrole*
  - ingénieur études et développement
  - bio-ingénieur
  - spécialiste matériaux composites
  - opérateur console
  - biotechnicien
  - ouvrier qualifié en biotechnologie
  - technico-commerciaux .

- *Énergie*
  - ingénieur études et développement
  - ingénieur assurance qualité
  - bio-ingénieur
  - ingénieur microprocesseurs
  - technicien géothermie
  - technicien économies d'énergie

- *Mécanique et transformation des métaux*
  - ingénieur assurance qualité
  - ingénieur automatisme industriel
  - designer
  - tourneur, fraiseur
  - mécatronicien
  - responsable export

- *Textile, habillement, cuir, polygraphie*
  - ingénieur spécialiste CFAO*

---

* Conception et fabrication assistées par ordinateur

— technicien CFAO
— mécatronicien
— régleur-programmeur
— électronicien maintenance
— coupeur qualifié

SECTEUR TERTIAIRE

● *Commerce gros, grandes surfaces, vente par correspondance*

— responsable personnel
— responsable export
— responsable distribution
— responsable marketing
— caissier

● *Commerce de détail, réparation et services divers*

— location de matériel grand public
— technico-commerciaux
— agent de maintenance et entretien
— mécanicien
— plombier-chauffagiste
— menuisier-installateur
— maçon-carreleur
— plâtrier-peintre
— dépannage télé, vidéo, etc.

● *Transports et télécommunications*

— ingénieur maintenance
— analyste-concepteur en système d'information
— mécatronicien
— technicien maintenance
— ingénieur études et développement
— concepteur-auteur
— convivialiste
— spécialiste fibre optique
— ingénieur réseaux
— technicien réseaux
— technicien stratégie communication

• *Services récréatifs, culturels, sportifs*

    — tous les métiers du spectacle :
        théâtre
        musique etc.
    — sports
    — animateur club IR6
    — bibliothécaire

• *Assurances, banques, organismes financiers*

    — chef d'agence
    — gestionnaire de fortunes
    — spécialiste opération internationale

• *Hôtellerie, restauration, tourisme*

    — cadre hôtellerie
    — personnel de service
    — serveur
    — personnel restauration rapide

• *Cabinets études ingénierie, informatique, organisation*

    — bio-ingénierie
    — ingénieur maintenance
    — ingénieur analyste
    — spécialiste gestion
    — ingénieur généraliste
    — ingénieur « connaissance »
    — ingénieur logicien
    — technico-commerciaux
    — convivialiste

• *Cabinets fiscal, juridique, comptable*

    — expert-comptable
    — juriste, juriste-fiscaliste
    — juriste international
    — cadre juridique
    — fiscaliste
    — rédacteur
    — responsable contentieux
    — comptable agricole
    — avocat-conseil « spécialisé »

- *Conseil en communication, publicité, marketing, relations extérieures*

  — spécialiste communication
  — technicien relations publiques
  — directeur commercial marketing
  — conseiller image
  — convivialiste
  — attaché information
  — courtier en espace
  — concepteur médiatique

- *Enseignement*

  — spécialiste formation professionnelle :
    automaticien
    robotique
    informatique
    biotechnologie
    matériaux composites, etc.
  — spécialiste orientation professionnelle

- *Santé, action sociale*

  — médecin généraliste
  — médecin gérontologue
  — chirurgien endoscopie
  — infirmière gériatrie
  — aide soignante à domicile
  — coordinateur
  — assistance maternelle
  — psychogérontologue
  — aide ménagère

20. LES EMPLOIS LES PLUS OFFERTS
AUX ÉTATS-UNIS
(début XXIe siècle)

	Besoins à venir en nombre d'emplois
Techniciens en production de robots industriels	800 000
Personnel de gériatrie	700 000
Techniciens en énergie	650 000
Techniciens en applications industrielles du laser	600 000
Techniciens en rénovation du bâtiment	500 000
Personnel de médecine d'urgence à distance	400 000
Techniciens CAO	300 000
Techniciens FAO	300 000
Formateurs en informatique	300 000
Techniciens en ingénierie génétique	250 000
Contrôleurs en économies d'énergie	180 000
Spécialistes de médecine nucléaire	75 000
Techniciens dialyse	30 000

Source : Forecasting International.

21. L'OPINION ET L'ARGENT PUBLIC

« Deux personnes discutent, de laquelle vous sentez-vous le plus proche ? »

	1978	1983
— L'une dit qu'il faut développer au maximum la Sécurité sociale et la protection collective des gens afin que personne ne puisse se trouver dans le besoin	36 %	30 %
— L'autre dit qu'on est allé trop loin dans ce sens. Il y a maintenant trop de gens qui profitent de l'argent public, trop de chômeurs qui pourraient travailler, trop de faux malades, trop de fonctionnaires payés à ne rien faire	49 %	68 %
— Sans réponse	15 %	2 %

Source : COFREMCA, novembre 1983.

22. POIDS SOCIO-ÉCONOMIQUE DE L'ÉCONOMIE SOCIALE

SECTEUR D'ACTIVITÉ	NOMBRE DE SOCIÉTAIRES	NOMBRE D'ADMINIST.	STRUCTURES	NOMBRE DE SALARIÉS	GRANDEURS SIGNIFICATIVES
Coopératives ouvrières de production	14 989		1 019	34 254	C.A. : 6,6 milliards (1981)
Coopératives de consommateurs	1 185 000 (actifs)	3 500	14 usines 6 421 points de vente	44 000	C.A. : (1981) 21,7 milliards
Coopératives de logements (HLM)	211 600	2 380	237	2 320	C.A. : coop. de prod. 1,3 milliard 3 460 construits en 1980
Coopératives maritimes	23 000		111	3 000	C.A. : 800 M
Coopératives de commerçants détaillants	22 500	1 670	62 coopératives représentant environ 14 600 points de vente	4 100	C.A. : 34,9 milliards (1980)
Coopératives d'artisans	50 000	3 500	1 300	5 000	
Coopératives de transporteurs			24 coopératives	2 300	C.A. : 630 millions (1980)
Coopératives agricoles	2 000 000	60 000 (non compris les CUMA)	4 100 7 300 CUMA	130 000	C.A. 1981 : 147 milliards de francs (Coopératives de plus de 10 salariés)

Mutualité agricole		1 300 pour 68 caisses régionales	20 000 caisses locales		6,2 milliards d'encaissement des cotisations en 1981
Assurances mutuelles agricoles	3 000 000	200 000 pour les caisses locales		30 000	
Mutualité sociale agricole	6 000 000 de ressortissants	152 000 délégués communaux 1 571 administrateurs (caisses départementales)	85 caisses départementales ou régionales		Dépenses de protection sociale 1982 : 77,4 milliards
Crédit agricole	3 500 000	40 000	3 000 caisses locales et 9 800 bureaux permanents et périodiques	68 000	Bilan consolidé 31.12.82 662 milliards
Crédit mutuel	3 100 000	40 000	3 085 caisses locales	15 000	Bilan : 53 milliards
Crédit coopératif	10 000	140	18	800	Bilan : 7,7 milliards
Groupe des banques populaires	706 000	480	38 banques région. 1 750 agences/bureaux	26 500	Bilan consolidé : 90 milliards
Crédit maritime	50 000		100 agences	600	1,7 milliard
Mutualité Assurances mutuelles	30 000 000 4 500 000	100 000	7 500	45 000 12 000	18 milliards (81) 9 milliards
Associations	20 000 000	500 000	500 000	600 000	

23. LE BRICOLAGE EN 1981

Vous arrive-t-il de ....

— Faire des travaux de petit bricolage
  (étagère, montage de lampe, etc.)
  • souvent .... 28 %
  • quelquefois ou rarement .... 38 %

  | 66 % |

— Faire des travaux de bricolage plus importants (plomberie,
  électricité, menuiserie) ....
  • souvent .... 15 %
  • quelquefois ou rarement .... 20 %

  | 35 % |

Source : Pratiques culturelles des Français, 1982.

24. LES PRINCIPAUX CENTRES DE FRUSTRATION
DES FRANÇAIS
(Population active)

— Temps de vivre	43 %
— Plus d'argent	27 %
— Moins de dangers	25 %
— Libre action	22 %
— Forme physique	17 %
— Moins de souci dans son travail	17 %
— Bonnes relations familiales	16 %
— Campagne à ma portée	15 %
— Pas de risque de perdre son travail	14 %
— Avoir de l'espace autour de soi	13 %
— Pouvoir se reposer	13 %
— Avoir un travail plus intéressant	13 %
— Réussir plus vite	13 %
— Etre traité comme une personne	12 %
— Savoir communiquer	10 %
— Avoir des amis	9 %
— Vivre sa sexualité	9 %
— Avoir des enfants	8 %
— Exprimer son avis dans le travail	8 %
— Vivre avec des gens connus	5 %

Source : COFREMCA, décembre 1982.

★ Total supérieur à 100 %, réponses multiples.

25. TRAVAIL ET ORGANISATION DU TEMPS

Dans le cadre d'un aménagement de votre temps de travail, que souhaiteriez-vous en premier lieu ?

1983   (Population salariée)

Une plus grande possibilité de travail à temps partiel	18 %
Une plus grande souplesse de l'organisation du travail sur la semaine ou le mois	33 %
Une plus grande souplesse de l'organisation du travail sur l'année	14 %
Une possibilité de congé de longue durée sans rémunération	6 %
Un assouplissement des horaires tenant compte des contraintes familiales ...	21 %
Autre	8 %
	100 %

Dans le cas d'une réduction du temps de travail à 35 heures par semaine, que souhaiteriez-vous en priorité ?

1983   (Population salariée)

Une heure en moins de travail chaque jour pour mieux vivre votre journée (vie familiale, etc.)	17 %
Une demi-journée libre par semaine	29 %
Des journées libres pour prolonger des week-ends ou faire des ponts	33 %
Des journées libres s'ajoutant aux congés annuels	9 %
Ne sait pas	3 %
Sans objet	9 %
	100 %

62 % (demi-journée + journées libres)

Source : CREDOC, 1983.

Éléments de bibliographie

OUVRAGES

ADRET (collectif), *Travailler deux heures par jour*, éd. du Seuil, 1977.

AGLIETTA M. et BRENDER A., *Les Métamorphoses de la société salariale*, Calmann-Lévy, 1984.

ALBERT M., *Le Pari français*, éd. du Seuil, 1982.

ANDRÉ CH. et DELORME R., *L'État et l'économie : un essai d'explication de l'évolution des dépenses publiques en France, 1870-1980*, éd. du Seuil, 1983.

ARENDT H., *La Crise de la culture*, Gallimard, coll. Idées, 1972.

AZNAR G., *Tous à mi-temps ou le scénario bleu*, éd. du Seuil, 1980.

BAREL Y., *La Marginalité sociale*, PUF, 1982.

BAROU Y., RIGAUDIAT J., *Les 35 heures et l'emploi*, La Documentation française, 1983.

BEAU J.-L., *Socialisme et mode de production*, PUF, 1980.

BOURDIEU P., *La Distinction. Critique sociale du jugement*, éd. de Minuit, 1979.

CARRE J., DUBOIS P., MALINVAUD E., *La Croissance française*, éd. du Seuil, 1972.

CORIAT B., *L'Atelier et le Chronomètre*, Christian Bourgois, 1979.

CROZIER M. et autres, *Où va l'administration française ?* Éditions d'Organisation, 1974.

DESROCHE H., *Le Projet coopératif*, Éditions ouvrières, 1976.

DUMAZEDIER J., *Vers une civilisation du loisir*, éd. du Seuil, 1962.

DUMAZEDIER J., *Sociologie empirique du loisir*, éd. du Seuil, 1974.

FOURASTIÉ J., *Des loisirs pour quoi faire ?*, Castermann, 1970.

FOURASTIÉ J., *Les Trente Glorieuses*, Fayard, 1979.

FOURNIER J. et QUESTIAUX N., *Le Pouvoir du social*, PUF, 1979 ; 2e édition, 1981.

FRIEDMANN G., *La Puissance et la Sagesse*, éd. Gallimard, 1970.

GAULLIER X., *L'Avenir à reculons*, Éditions ouvrières, coll. Économie et Humanisme, 1982.

GORZ A., *Adieux au prolétariat*, Galilée, 1980.

229

GORZ A., *Les Chemins du Paradis*, Flammarion, 1982.
GRENIER J.-C., *Les Ateliers de l'avenir*, Ramsay, 1983.
GUILLAUME M., *Le Capital et son double*, PUF, 1975.
ILLICH I., *Le Chômage créateur*, éd. du Seuil, 1977.
LAFARGUE P., *Le Droit à la paresse*, Maspéro, 1972.
LENOIR R., *Les Exclus*, éd. du Seuil, 1974.
LESOURNE J., *Les Mille Sentiers de l'avenir*, Seghers, 1981.
MAURICE M., SELLIER F., SILVESTRE J.-J., *Politique d'éducation et Organisation industrielle en France et en Allemagne*, PUF, 1982.
MENDRAS H. (collectif), *La Sagesse et le Désordre*, Gallimard, 1980.
MERCIER P., PLASSARD F., SCARDIGLI V., *La Société digitale*, éd. du Seuil, 1984.
MINC A., *L'Avenir en face*, éd. du Seuil, 1984.
MORIN E., *Pour sortir du XXᵉ siècle*, Nathan, 1981.
OBALDIA M., *L'Économie désargentée, économie de la relation*, Privat, Toulouse, 1983.
REYNAUD J.D., GRAFMEYER (collectif), *Français, qui êtes-vous ?* La Documentation française, 1981.
RIGAUD J., *La Culture pour vivre*, Gallimard, 1975.
ROSANVALLON P., *La Crise de l'État-Providence*, éd. du Seuil, 1982.
ROUSTANG G., *Le Travail autrement*, éd. Dunod, 1982.
ROUX J.-M. et BAUER G., *La Rurbanisation ou la Ville éparpillée*, éd. du Seuil, 1976.
SAUVY A., *Le Travail noir*, Calmann-Lévy, 1984.
SCHWARTZ B., *L'Insertion sociale et professionnelle des jeunes*, La Documentation française, septembre 1981.
SERVAN-SCHREIBER J.-J., *Le Défi mondial*, Fayard, 1980.
SERVAN-SCHREIBER J.-L., *L'Art du temps*, Fayard, 1983.
STOLÉRU L., *La France à deux vitesses*, Flammarion, 1982.
SULLEROT E., *Pour le meilleur et sans le pire*, Fayard, 1984.
TOFFLER A., *La Troisième Vague*, Denoël, 1980.
TOFFLER A., *Les Cartes du futur*, Denoël, 1982.
TOURAINE A., *L'Après-socialisme*, Grasset, 1980.
VULPILLIÈRES J.-F. de, *Sept mois de loisir, la face cachée de l'éducation*, PUF, 1981.

RAPPORTS, ARTICLES

BARRERE-MAURISSON M.-A., « Les Incidences de la crise économique sur le couple et la famille », *Dialogue* n° 77, 1982.
FORSE M., « Les Français redécouvrent les vertus du micro-social », *Observations et diagnostics économiques*, 1982.
FOUQUET A. et CHADEAU A., « Peut-on mesurer le travail domestique ? », *Économie et Statistiques*, septembre 1981.
GASPARD M., « Mutations technologiques et emploi à travers la crise », *Travail et Emploi*, n° 7, janv.-mars 1981.
L'HARDY Ph. et TROGNON A., « Le Mythe du nouveau consommateur », *Économie et Statistiques*, juillet 1980.

MENDRAS H., FORSE M., « Vers un renouveau du troc et de l'économie domestique ? » *Observations et diagnostics économiques*, octobre 1982.

Commissariat général du Plan, *Comment vivrons-nous demain ?*, rapport du Groupe long terme « Changements des modes de vie », La Documentation française, 1983 ; *Réflexions sur l'avenir du travail*, préparation du VIIIᵉ Plan, la Documentation française, 1980 ; *L'Impératif culturel*, rapport du Groupe long terme « Culture » du IXᵉ Plan ; *Le Développement social, éducatif et culturel*, rapport de la Commission n° 7 du IXᵉ Plan.

Ministère de la Culture, *Pratiques culturelles des Français*, direction du Développement culturel, 1982.

Échange et Projets, *La Révolution du temps choisi*, Albin Michel, Paris, 1980.

Écologie, *Le Pouvoir de vivre*, Le projet des écologistes, 1981.

Autrement, *Et si chacun créait son emploi !*, n° 20, septembre 1979.

Rapport Fast, *Europe 1985*, commission des Communautés européennes, fururibles.

Rapport INSEE, *Données sociales 1984*.

Rapport « The Futur Works », Secretariat for future studies, Suède, 1982.

TABLE

*La composition
et l'impression de ce livre ont été effectuées
par l'imprimerie Aubin à Ligugé
pour les Éditions Albin Michel*

AM

*Achevé d'imprimer en février 1985
No d'édition 8701. No d'impression L 19712
Dépôt légal, mars 1985*

Imprimé en France